Y0-AFT-350

Елена Колина

Елена Колина

ТРЕБУЮСЬ Я!

Издательство АСТ
Москва

УДК 821.161.1-31
ББК 84 (2Рос=Рус)6-44
К60

Серия «Нежности и метафизика. Проза Елены Колиной»

Оформление — *Екатерина Ферез*

Колина, Елена.

К60   Требуюсь Я! : [роман] / Елена Колина. — Москва :
Издательство АСТ, 2016. — 256 с. — (Нежности и метафизика. Проза Елены Колиной).

ISBN 978-5-17-099538-7

«Что делает с нами возраст — двадцать восемь лет, тридцать,
сорок, пятьдесят? Возраст — это потеря друзей и прибавка в
весе, а я хочу, чтобы потеря в весе и прибавка друзей», — говорит Анечка, героиня Елены Колиной. Как по-настоящему
хорошая книга по-настоящему хорошего психолога, это настоящий подарок для тех, кому сейчас грустно или сложно (или
просто необходима хорошая история — добрая, ироничная и
откровенная). «Требуюсь Я!» — это разговор о самом главном:
возрасте, боязни перемен и одновременно мечте измениться, о
начале новой жизни, о том, что каждый **может**, когда **захочет**.
«Я не собираюсь вкладывать в бизнес ни рубля: я трус и жадина,
и у меня трусливые мымли, то есть мысли... то есть именно что
мымли...» Анечка пока не знает, что озвучивает модный тренд
«бизнес без вложений». Она лишь делится своими «мымлями»:
как побороть страхи, как рождается успешная идея, а главное,
как одержать победу над собой — **трудно**, но **можно**!

УДК 821.161.1-31
ББК 84 (2Рос=Рус)6-44

ISBN 978-5-17-099538-7

Я хочу выразить благодарность

моему мужу за то, что не похож на мужа героини,

моему хорошему другу Наде за многолетнюю дружбу, любовь и ласку,

моему редактору Наталье за понимание и отзывчивость, высокий профессионализм, нежное отношение к моим идеям, и за наше единомыслие, без нее мои книги остались бы странным сумбуром, и героиню в начале звали бы одним именем, а в финале другим, и некоторые персонажи по дороге к финалу потерялись бы навеки.

ПРЕДИСЛОВИЕ

Я, Анна Коробова, по просьбе знакомых довольно откровенно написала о том, как достичь успеха, избавиться от депрессии, негативных чувств, перестать курить, открыть свой бизнес.

Эти знакомые пока еще не достигли, не избавились, не перестали... но если вы УЖЕ достигли успеха, у вас нет негативных чувств, вы не курите и ведете свой бизнес — зачем вам это читать?

Вот зачем:

1. Чтобы не бояться. Три месяца назад я написала фразу «Чего я хочу? Немного спасти человечество и много зарабатывать!» и назвала файл «Как бы бизнес».

Прошло всего три месяца, и за эти четыре месяца (ну да, я прокололась, четыре) у меня настоящий бизнес. Основанный на том, что я люблю больше всего на свете: кажется, коммерческий результат получается, когда монетизируешь свою страстишку.

Страстишка — не в пренебрежительном смысле, а в том смысле, что это не обязательно что-то большое, лучше, если маленькое и конкретное, как у меня.

Звучит как модный слоган: «Стрр-растишка, из которой вы сделаете успешный бизнес!»

2. Убедиться, что не только в вас сидит ребенок, хнычет и хихикает, закрывает глаза и думает, что его никто не видит... не только в вас.

3. Моя мама любит говорить: «Ну, если уж ты смогла... (водить машину, кататься на горных лыжах, защитить диссертацию, открыть свое дело) — значит, ВСЕ могут».

Если я смогла, значит, ВСЕ могут, ВСЕМ полезно это знать.

Ладно, это все вам.

Ну, а мне, зачем мне это надо?

Зачем мне нужно так широко раскрыть свой внутренний мир, что туда каждый может впереться?..

Потому что сначала я слышала: «Ты?.. Да у тебя не получится». Когда в тебе сомневаются, это очень плохо, нам больше всего на свете нужна вера в нас. Наверное.

Может быть, можно обойтись и без веры в нас. Может быть, это дурацкие общие слова, безо всякого смысла.

Когда мой бизнес начал успешно работать, я услышала: «Ну, конечно, у тебя получилось, у тебя все получается» — оставалось только добавить с досадливой детсадовской интонацией: «...Вот ты какая, Анечка!..» И почему-то это было обидно: ведь мне было не просто, я боялась, стеснялась, робела... Все боятся, стесняются, робеют, а я особенно.

Если в тебя не верят и у тебя ничего не вышло, ты просто в очередной раз облажался. Когда говорят: «Тебя-то, конечно, ждет успех» — это еще хуже. Это ВООБЩЕ УЖАС. Если ты «у тебя все получается» и вдруг у тебя ничего не вышло — это ой-ой-ой, это с горы кувырком, это перемена картины мира, это... да ну, вообще кошмар. В общем, и так, и так трудно.

Мне кажется, что как бы был не уверен в себе человек, какие бы испуганные мысли ни метались в его бедной башке, найдутся люди, которые скажут: «У меня точно так же». Мне интересно, кто эти люди. И, может быть, можно с ними как-то связаться.

ГЛАВА ПЕРВАЯ

Как узнают об измене и Откуда берутся решения 4 декабря, в пятницу

Люди по-разному узнают об измене, я узнала 4 декабря в пятницу дважды.

Твоя ирония, твоя улыбка, то, что умеешь только ты, твоя нежность к миру, и вдруг все это больше не надо, и тебя больше не надо, потому что тебе 50... Нет, он не сказал «иди отсюда, старая карга», он просто пригласил другого...

Я вдруг поняла, что смотрю на объявление на сайте Дома кино: **«04. 12. 15, пятница, 19:00. Творческая встреча с Анной Коробовой, писателем и сценаристом ряда популярных телесериалов, получивших премии...»** Смотрю и не радуюсь.

«Анна Коробова, писатель и сценарист ряда популярных бла-бла-бла...» Красиво, правда? Чужая жизнь всегда выглядит красивей, чем какая-то там своя. Люди думают: «Сценарист, кино, круто!»

Никто не думает, что премии... премиЯ (одна премия) была три года назад.

С тех пор я, Аня Коробова, сценарист популярных бла-бла-бла,

— написала сценарий, по которому не стали снимать, потому что... не знаю почему. Кажется, что если ваш муж продюсер, то вы знаете больше других, почему не стали снимать. На самом деле вы знаете меньше других, вы ничего не знаете. Тот, кто решает, каждую ночь спит рядом, и что?.. Мысли с его подушки на вашу не перебегают.

— написала еще один сценарий — сценарий молодежного сериала, который не взяли, потому что мне... (здесь слезы в голосе)... потому что мне 50.

Нет, никто не сказал мне: «Иди отсюда, старая карга». Если ваш муж продюсер, он просто приглашает другого сценариста.

А вам говорит глазами: «Ань, ну ты чего, не понимаешь, что ли? Этот сценарист, он такой классный. Он такой модный. Он такой молодой». И вслух, добрым голосом: «Ань, это же молодежный сериал. У человека за 50 уже возрастные изменения, человек застыл, как муха в янтаре. Я хочу сделать стильно и современно, а ты уже не чувствуешь молодежных трендов... Ты отлично пишешь семейные саги для бабулек, но ты и молодежный сериал пишешь как семейную сагу для бабулек... Зритель 25+ хочет другого...»

Чего другого хочет зритель, другого сценариста?!

Я застыла в янтаре, как муха?! Да я вообще янтарь не люблю!

Я — не стильно, я — для бабулек? А почему мне за 50? Мне не за, мне 50.

Мне 50, и у меня н е т возрастных изменений. А у моего мужа есть. Потом скажу какие.

У моего мужа — да. А у меня — нет. Можно начать с этого.

Но я сценарист и начну как положено: с центральной ситуации, в которую я попала и из которой должна выйти победителем. Простите за сугубо ж е н с к о е: я про измену, 4 декабря, в пятницу.

Измен две: Максим пригласил другого сценариста, что перевернуло мою жизнь, и у мужа моей подруги обнаружилась другая семья, что окончательно перевернуло мою жизнь.

Какая была бы роскошная первая серия, если бы это было сериалом, но, к сожалению, это было правдой...

Представьте: поселок Комарово, особняк в стиле ампир, муж моей подруги (назовем его Пашкой, потому что именно так его зовут, он директор завода, тоже мой друг) уехал на работу, звонок в домофон, моя подруга (назовем ее Аллой) говорит в домофон: «Молоко?» (она ждала молочницу — молоко, творог, сметана).

10

— Это няня... Я новая няня к ребенку, — отвечает женский голос.

— Няня? К ребенку? — удивляется Алла.

Ее с Пашкой сыновья, программист и хирург, не нуждаются в няне. И тут отчего-то стукнуло в ее голове «бе-да!», и она — на беду — впускает эту чертову няньку в дом, наливает ей чай и говорит ж е н - с к и м голосом: «Я вас умоляю как женщина женщину, проясните ситуацию...»

Алла умная, вырастила детей и мужа, Алла понимает: хочешь манипулировать собеседником — напирай на то, что у вас общего. При всем неравенстве социального и материального положения у няни с Аллой есть общее: няня — женщина за пятьдесят, пострадавшая от мужчин, и уже понятно, что Алла тоже от своего Пашки... (Пашке 62. Раньше казалось, это невозможный нечеловеческий ужас — «Пашке 62», но теперь это просто «Пашке 62».)

— Умоляю как женщина женщину — о каком ребенке вы говорите?..

Если бы это была первая серия, я не стала бы томить зрителя, тут же все бы и выяснилось — вместо творога и сметаны — что у Пашки другая семья, там маленький ребенок, к которому наняли няню. Няня забыла номер дома и позвонила хозяину уточнить — и тот дал ей номер дома.

Алла быстро поняла: утро, завод, заводская суета, производственные хлопоты, летучки, совещания, вот Пашка и дал машинально свой номер дома, номер дома своей главной семьи. Няня тоже быстро поняла и из женской солидарности против «этих молоденьких шлюх» и жалости к милой п о ж и л о й Алле, которая ни сном ни духом, раскололась мгновенно и с удовольствием: и сколько лет малышу, и как зовут, и какой хорошенький... Ох, бедная Алла.

А улицу няне не нужно было уточнять. Почему? Да потому что дом новой семьи с ребенком находился на т о й же улице поселка Комарово.

Как Пашкин тоже друг я могу понять все: Пашкину мужскую резвость, тоску по юности, по юной Алле и юному себе, страстное желание оставаться молодым и в силе, любовь к «этой молоденькой шлюхе» тоже никто не отменял, — могу понять все, кроме подлого поселения новой семьи на той же улице, чтобы было недалеко, удобно, по дороге. Как писал Толстой, на все есть манера. Манера заводить новые семьи на нашей улице — некрасивая, фу.

Это совершенно сериальная история. Можно было бы дать первым кадром фотографию на резном итальянском комоде: счастливая семья, респектабельные Пашка с Аллой в окружении сыновей и внуков. А вторым кадром — две таблички на домах, к примеру «Зеленогорская, 12» и «Зеленогорская, 37».

Нет, правда, — как это могло остаться тайной? Уж я-то знаю толк в тайнах, как сериальный сценарист, тайны — моя стихия: потерянные дети, неожиданные миллионы в завещании (завещание — хороший повод узнать, что соседи по подъезду на самом деле дети твоего мужа... или родители). ...А может быть, Пашка велел своей пассии (ну хорошо, новой семье) выходить на улицу в черных масках? Представила, как они в черных масках заходят в магазин и встают в очередь за молоком.

По привычке я обратила внимание на несоответствия, из которых могут вырасти новые сюжетные линии: почему соседи не сообщили Алле о другой семье? Из благородства, равнодушия — это не для сериала, а вот если Пашка их запугал, если они были чем-то ему обязаны — страшная тайна юности, убийство, прочее? Это неплохо.

...Это просто профессиональное — любое событие воспринимать как завязку, а так я всей душой жалею Аллу. Бедная, бедная Алла! На самом деле она не Алла, но я уже привыкла к тому, что Алла.

Если милую Аллу можно так предать, значит, любую можно... И меня... Странно, что это произвело на меня такое впечатление, правда? На человека, который написал столько сцен неожиданного появления фронтовых жен, побочных детей, оживших дедушек. А тут всего-то у немолодого бизнесмена открылась другая семья на той же улице. Но измена, предательство, неожиданный дедушка на бумаге и на экране — это одно, а рядом, в твоей жизни, — совсем, совсем другое.

Важно, что сказала Бедная Алла: «Зачем я всю жизнь была ему верна, зачем любила? Лучше бы я первая з а р а н е е ему изменила. Сейчас бы я ему — раз — а у меня тоже другая семья, тоже маленький ребенок!» Милая Алла даже в такой ситуации сохраняет чувство юмора, чего в сериалах не бывает. Ирония не для среднего ума, а сериалы для среднего ума, но в моих-то диалогах всегда есть подтекст, есть второй пласт, кому надо, считывают...

...А мой муж только что пригласил другого сценариста. Чтобы он делал мою работу, потому что моложе. Это как у дикарей: стариков сажают на ветку и раскачивают дерево, если удержится, значит, еще ничего... Я представила, как сижу на ветке, зацепившись хвостом... а еще можно плюнуть сверху на молодых, раскачивающих мое дерево, кричащих: «А ну, покажи нам, на что ты способна, старая карга!»

Если ваш муж продюсер, он не объявляет вас официально старой каргой, он просто приглашает другого сценариста, не вас. Это хуже, чем измена.

Возможно, кто-то возразит: «Это л у ч ш е, чем измена». Но если бы вы знали, что я чувствую... Да ничего особенного не чувствую, кроме того, что меня предали, выбросили, как старое драное пальто без пуговиц, вот и все (подкладку отпороли). Выбор другого сценариста означает, что отрицаются все мои качества, всё, что ему прежде было во мне дорого, всё, что было между нами и было только наше — наши хмыканья над моими шутками, наши нежные слова, которые герои говорят друг другу, только наши шутки, наше понимание друг друга, единомыслие, наша любовь.

Но ведь новый сценарист и правда моложе меня, лучше меня чувствует молодежные тренды... Моложе меня, лучше меня...

Думаю, мы можем сойтись на том, что выбор другого сценариста — это так же, как измена.

Переходим к «Откуда берутся решения».

Понятно, что измена — это главная причина начать новую жизнь. Нашлись и другие причины.

1. С одной стороны, мне не нужно писать этот сценарий, а с другой стороны, я сама не хочу.

Если нам больше 40 — а нам больше — и мы занимаемся все тем же, чем и раньше, то НАШ МОЗГ СТАРЕЕТ... Я пишу сценарий, а мой мозг с каждой написанной сценой стареет, стареет!.. От этой мысли у меня начинается дрожь. Вот так: дрр-рррр-тыр-тыр!

2. И мне пора начинать взрослую жизнь. Если не сейчас, то уже никогда. Пора начинать взрослую жизнь, потому что скоро старость.

Я имею в виду, писать сценарии сериалов — это не для вечности, это для сериалов. В лучшем случае сериал повторяют еще один раз в дневное время, какая уж тут вечность...

И мне пора бы сделать что-то для вечности. Я имею в виду прямо сейчас, а то скоро старость.

3. Если скоро старость, то нужно стараться жить как раньше, не хуже, чем когда тебе было 0—49 лет.

Я сценарист, к о н е ч н о, но...

Но у меня техническое образование (и математическая диссертация, считаю, это знак качества моего мышления). Технари лучше производят операции выделения существенных признаков категоризации, быстрее устанавливают причинно-следственные связи, ловчее интерпретируют факты.

А факты таковы: если уж пришла мысль «чтобы не постареть, нужно стараться жить как прежде — работать все то же, дружить с теми же, чтобы все было не хуже, чем раньше», то фига — ничего не выйдет. Будешь вцепляться в прежнее всеми лапами, соскальзывать, удивляться царапинам, плакать, карабкаться заново, оставляя за собой дорожку слез. И зачем?! Новое — новое дело, новые друзья — нужно что-то очень новое.

4. И очень хочется свободы! И денег.

И независимости, НЕзависимости от зрителей, продюсеров, мужей, курса доллара. И евро.

Кстати, о деньгах. Другие устроены иначе. А я люблю евро.

Я люблю:

а) евро (потом доллары, рубли люблю меньше),

б) интересное.

У других свои Списки Главного. Один мой приятель называет себя говносценаристом, потому что пишет сценарии для говносериалов, вместо того чтобы писать приличные сериалы, — он делает за деньги неинтересное. Другой занимается спасением редких животных, ему интересно спасать, а деньги не входят в его Список Главного. Не могу сказать, что Благотворитель — хороший, а Говносценарист — плохой, в смысле моральных ценностей оба хороши (или оба плохи), просто у каждого свой Список Главного.

Я вот не смогла бы посвятить себя спасению редких животных... В крайнем случае можно посвятить себя одному животному... Я же не виновата, что не люблю ничего делать бесплатно — такая уж натура, и не люблю делать неинтересное. Мне нужно делать интересное за евро (доллары, хуже рубли).

5. И жажда свободы!

ЖАЖДА СВОБОДЫ!

И деньги. Евро, конечно. И свобода.

...Свобода? Ну какая свобода?.. Вот она, ужасная правда: наши жизни связаны с мужчинами. Каждая из нас зависит от своего мужчины, как будто и правда сделана из его ребра: все мои знакомые женщины, круто изменившие свою жизнь, сделали этот крутой поворот и з - з а м у ж ч и н ы. И бизнес моих самых независимых на свете подруг-предпринимателей начался в связи с мужчинами ушел, изменил, бросил, умер — вот истоки бизнеса. И восхождение к вершинам самопознания началось и з - з а м у ж ч и н ы. Возможно, это неполные сведения, но у меня такие — все из-за мужчин.

Я и сама такая — завишу от Максима.

Подруги, не причастные к кино, советуют мне: «Напиши сценарий для другой студии, для другого продюсера». Подруги не понимают: это все равно что сказать «Если твоему мужу не нравится, как ты готовишь, приготовь обед для другого мужа».

В том-то и дело: он может снимать по чужому сценарию, а я не могу написать сценарий для другого — я должна поддерживать огонь, писать сценарии для него, сохранять домашний очаг.

Ну, или вообще больше не писать. Ужас.

Если подумать, ужас, летящий на крыльях ночи, разве нет?

Интересно, понимает ли он, что лишает меня профессии? Смысла жизни?

Моя подруга, профессор психологии, сказала: «Хрена лысого он понимает».

6. Ну, и наконец, совсем личное, интимное.

Вот чего я хочу: купить Harley-Davidson и угнать на нем куда глаза глядят. Или MTT Turbine Superbike, максимальная скорость 402 км/ч. Или уехать в Индию на год, не оставив адреса, или начать свой бизнес.

Может показаться, что все это от обиды, что мой муж не захотел со мной сотрудничать п о   в о з - р а с т у. Может показаться, и так и есть: это обида.

Но и любопытство — что еще может со мной произойти?

И горечь — неужели ничего?..

И деньги, и желание сделать мир лучше.

И (кажется, это еще ни разу не упоминалось) — деньги, евро (можно доллары, рубли хуже).

В общем, все как у всех: деньги-смысл-свобода или застрелиться.

ИТОГ ДНЯ:

- Сигарет — 21 (набрасывала идеи для нового сценария, поэтому столько выкурила, всегда курю за работой).
- Криков на Максима — 15—16 (из них визгливых «Я тоже работаю!», «Я тоже человек!» и «Можно в конце концов уважать мой труд!» — 15—16).
- Набросков «Идеи для нового сценария» — 0.

ГЛАВА ВТОРАЯ

Кто она, а кто я,
или Откуда берутся решения-2

Не то чтобы я так люблю мусолить свои обиды, но все-таки: все-таки больно. Максим не свободен, он женат — у него есть я! Никто не имеет права отбирать его у меня, предлагать ему свой сценарий вместо моего!

Я же говорю, у Максима есть возрастные изменения: Максим хочет быть в тренде, в каком тренде, точно не знает.

Ему нужно новое кино для молодых, которое снимают молодые... и скорей-скорей, а то обгонят. Раньше он был молодой и сильный, не думал, в тренде он или нет, просто делал что хотел. Теперь он думает: где молодые, то и модно, то и хорошо. Чтобы говорили слова «концептуальный киноязык», «рваный ритм монтажа», чтобы была провокативная история, нарушение табу и немного чернухи. Просто хорошая история с интересными персонажами — это, по его мнению, «ты не в тренде, ты можешь написать только семейный сценарий — историю про 50+ (советская юность, лихие 90-е) для тех, кому 50+».

Пусть меня больше не надо, допустим, меня на помойку истории. Но разве это не возрастные изменения: мужчина за 50 (Максиму 57, это з а 50) считает, что все молодые и модные лучше? Вот он пригласил молодого сценариста, а... а почему он не захотел решить в честном бою, чей сценарий лучше? Он мог бы сказать мне: «Ань, вот у меня два сценария — твой и этот, второй, и не обижайся, но твой лучше...» То есть это оговорка по Фрейду, что мой лучше.

Мужчины — трусы. Они не могут объясниться, никто ничего не говорит: просто — раз — и новая семья уже тут, просто — раз — и другой сценарист уже тут, он моложе меня, лучше меня...

...Правда в том, что, как бы старательно я ни называла его «другой сценарист» и «он»... правда в том, что это она.

И от этого еще больней.

Может быть, вы можете всю ночь думать и плакать и дать себе зарок не говорить о сопернице плохо, не поднимать тему «кто она, а кто я», вообще никогда не говорить о ней... вы можете, а я нет.

— Это же уровень Comedy Club, — сказала я, едва дождавшись, чтобы Максим открыл глаза. —

Я бы еще поняла, если бы она была успешной, известной, если бы у нее были премии... ну там, премия «Дебют», премия фестиваля «Молодость»... но у нее был всего один сериал, всего один!.. Что уж такого особенного в ее сценарии?

Мне ведь известны подробности измены: она показала ему первую серию, он прочитал и даже не попросил остальные пятнадцать, и подписал договор.

— Вот только не надо сцен, — сказал Максим.

— Что ты, какие сцены, я просто скажу...

И я сказала. Что единственное, что соблазнило его в этом сценарии (неумелом и даже отчасти непрофессиональном), это возраст героини — 27 лет. И сама история: героиня перед свадьбой спит по очереди со всеми друзьями жениха (да, это провокативная история, но тупая). И с подругами (да, это нарушение табу, но зачем его нарушать?). И я не вижу ни единой достоверной психологической мотивировки, зачем она все это делает. Ее мама в детстве не любила и отчим приставал? О-о, как оригинально! Да она просто маньячка, у нее бешенство матки, зачем об этом снимать сериал? И пусть тогда он назовет сериал «Бешенство матки». И...

— Может, ты уже просто сказала, может, хватит?

— Да. И все время сыпать подростковыми словечками — это, по-твоему, прикольно? Посчитай, сколько раз в каждой серии звучит «прикольно». А ее шутки? У нее все шутки несмешные. Она натужно шутит, на шестнадцать серий одна смешная шутка, — одна... а уж ирония там и не ночевала... Ирония, чтобы ты знал, — это качество зрелого ума.

— Да.

Он сказал «да»? Мог бы и не возражать мне в такой обидной для меня ситуации, а он говорит «да».

— А как у твоего зрелого ума обстоит дело с самокритикой? Некоторые черепашки с возрастом становятся довольно сварливыми...

«Черепашка» — это наше слово, одно из наших слов, это приглашение к миру и дружбе. Но я твердо решила добиться, чтобы он вместе со мной ее осудил. Привела сокрушительный аргумент: она даже внешне неприятная, похожа на рыбу, зубастая улыбка, как будто у нее два ряда зубов, и сонные глаза. Но он, кажется, держался другого мнения. Наверное, не разглядел второй ряд зубов.

— В ней есть обаяние, у нее хорошая улыбка...

— Да? А почему у нее такой финал? Почему она написала такой нелогичный финал? Такой невнятный, нелогичный финал?.. Не могла свести концы с концами, почему? Я скажу тебе почему — потому что в этой ее истории все картонное, это эпатаж ради эпатажа, там нет НИКАКОГО СМЫСЛА! Финал всегда обнажает качество истории, есть в ней смысл или нет, — и ты это знаешь!

Честно говоря, я немного увлеклась и почти кричала, как в «Покровских воротах» Велюров кричит Соеву: «Разве это финал?!», а тот отвечает с нажимом: «Это очень х о р о ш и й финал».

— У нее очень хороший финал, — сказал Максим и даже не заметил, что цитирует «Покровские ворота». — Все, с меня на сегодня хватит. Завтракать не буду. Нет, я не хочу сырников. И рисовую кашу с тыквой не хочу. Почему не хочу? Потому что не хочу я твоих сырников. Пусть бабульки едят твои сырники. Я, кажется, еще сам могу решить, чем мне завтракать.

Да-да, я на вашем месте тоже могла бы сказать: «Вы, Анечка, совершили ошибку», или «Ань, ну он уже решил снимать по ее сценарию, какой смысл говорить о втором ряде зубов?», или «Стоит ли так его донимать, вдруг он влюблен, а влюбленный мужчина, знаете...».

На своем месте я стала плакать. Он не хочет сырников с о м н о й.

Нет, даже хуже! Он сказал, что мои сырники для бабулек. На первый взгляд, это оговорка, но это оговорка по Фрейду: под сырниками Максим подразумевает мои сценарии, которые он теперь считает историями «для бабулек». И не хочет он всего сразу: меня, моих сырников, моих сценариев. Не хочет своего прошлого, тяготится своим настоящим (семейными сериалами и конкретно мной), думает, что я вишу гирей у него на ногах, и хочет меня скинуть.

И, как любая женщина, страдающая от измены, я принялась сетовать: «А вот раньше он... а теперь...» Вчера еще до звезд сидел, а нынче все косится в сторону, и так далее.

Раньше мы за завтраком всегда обсуждали родственников, кто да что...

Сидели друг напротив друга и спрашивали:

— А он?

— А она?

— А он тогда что?.. А она?..

Первая семейная история, которую я написала, называлась «Родственнники» (о семье ученого-физика с 50-х до наших дней, его звали Игорь, жену Катя, дочь Женька), и сериал, который Максим снял по этой книге, тоже назывался «Родственнииики». Мы обсуждали все перипетии сюжета — кто да что, характеры, мотивировки. Герои были нам близки, как родственники, как будто это были наши «тетя Катя», «дядя Игорь», наша «Женька», и даже их кот был нашим котом.

С тех пор мы называли персонажей всех наших сериалов «родственнники».

Раньше мы за завтраком всегда обсуждали родственников.

Раньше он любил сырники.

У нас было общее — родственники, сырники.

Теперь он считает мои сценарии историями для бабулек. Наших родственников — чужими. Бабулькиными родственниками.

Снимает для «молодого зрителя», имеет дело с концептуальным киноязыком.

Не любит сырники.

И не хочет рисовую кашу (все жаворонки нынче вороны).

Хочет модный завтрак для тех, кто в тренде. Какую-нибудь дрянь вроде «нежной запеканки из кальмаров и брокколи»?

Именно так было у Бедной Аллы, так бывает у всех: сегодня он ваш, ест с вами сырники и обсуждает родственников... а назавтра мысли его уже далеко, ослабевает интерес к родственникам и сырникам, — и не прошло и года (оказывается, она рассказала Максиму свою идею сериала около года назад), — не прошло и года, как у него уже другая семья на нашей улице.

...А насчет рисовой каши Максим не прав: рисовая каша с тыквой в тренде.

Это было мучительно, но полезно — плакать и думать: «Если посмотреть правде в глаза, сценарий хороший. Она моложе, а пишет лучше меня. Максим правильно выбрал ее. А я больше не буду писать, я не хочу повиснуть у него на ногах гирей (своими сценариями, чтобы он считал себя обязанным снимать из жалости), я вообще не буду писать. Тем более я пишу для бабулек, зачем писать для бабулек?..»

Но что я буду делать? А если Максим захочет от меня уйти? ...Если он захочет от меня уйти, так он и уйдет.

Если он уйдет, как я тогда буду жить? ...Ну, думаю, буду жить как жила: читать, смотреть кино...

Но на что, на что я буду читать, смотреть кино? Тем более сейчас кризис.

Что вообще может делать в кризис женщина 50 лет (52-х) без профессии?

Я не кокетничаю: именно что без профессии. Если вы учитель рисования или стоматолог, то ваше умение рисовать или лечить зубы такое же неотъемлемо присущее вам свойство, как тембр голоса или цвет глаз.

А если вы сценарист, то ваше умение очень даже отъемлемо: если по вашим сценариям не снимают — то все, вы уже не сценарист. Вы только строчка в Википедии.

На что годится строчка в Википедии, тем более в кризис?

ИТОГ ДНЯ:

- Сигарет — 13 (хорошо).
- Сигарет перед сном — 5.
- Полученных смс «Не до тебя, отстань!» — 2, из них:

от Максима — 1. «Я на встрече, буду поздно, люблю, целую». Если бы он просто пришел поздно, то это ничего не означает. Но «люблю, целую» безусловно означает «отстань».

от Нади — 1. «Не ждите. Надя» тоже означает «отстань»... От Нади я такого не ожидала.

Нужно знать Надю: хорошая, моя помощница по хозяйству в течение 20 лет, добропорядочная, выдержанная, салат оливье, бульон с рисом, пирог с капустой, 56 лет, на лице вся надежность мира.

И такое!

Несколько дней назад Надя прислала мне смс: «По случаю дачу вернусь с женищей пон вам».

Здесь все понятно: «по случаю» означает, что Надин сосед по даче Виктор Львович предложил отвезти Надю на дачу на машине. Она вернется обратно с его новой женой, которую все соседи в садоводстве называют женищей. И в пон к нам. То есть в понедельник придет к нам.

Сегодня понедельник, а Нади нет.

И вот вечером пришло смс: «Не ждите. Надя».

На мое «Что случилось?», «Надя! Вы где?», «Вам нужна помощь?», «Надя!» и «Надя, Надя, Надя!» ответа не было.

Я удивилась: любой из моих друзей и знакомых мог бы пропасть, уехать на дачу, запить, завязать, залениться, закружиться в романе, кто угодно, но не Надя: она единственный благонравный человек, которого я знаю, мягколапый домашний котик, понятный во всех своих помыслах от усов до хвоста.

Если бы Надя написала: «Беспокоит тревожное предчувствие насчет урожая картошки», или «Плохо сплю, и мысли всякие в голову лезут...», или «Что-то противно на душе, сама не знаю что», или «Видела дурной сон, что рассада замерзла», я бы не удивилась.

Но мной был получен ответ, который мог быть дан любым из тех, кто — то пропал, то запил, то завязал, то развязал, то заленился, то творит запоем.

На мои вскрики «Надя!» пришел брутальный лаконичный ответ: «У меня депресняк».

Господи боже мой, что творится-то! Не миленькая маленькая депрессия, а бесстыдный разнузданный депресняк...

• Панических мыслей, что Надя меня бросит, — 356.

О-ооо, она ведь не может просто взять и бросить меня?

Или может? Мы с ней очень близки, но разве кого-то останавливала близость, если вдруг возникли свои планы?

Мы с Максимом тоже были очень близки, и Бедная Алла с Пашкой были. Не думайте, что это неподходящее сравнение: я ведь именно что говорю про человеческую близость.

...Надя мне не как мама, конечно, а как будто она моя взрослая тетя: у нас с ней разница в возрасте 49 лет. Имею в виду во внутреннем возрасте. Внутренний возраст — это представить, что потерял паспорт и — по-честному — на сколько лет человек себя ощущает.

Надин внутренний возраст равен ее паспортному возрасту — 56 лет.

Мой внутренний возраст — 7.

Надя сказала: «Я нормальный человек, а вы творческий, и потому как семилетняя — то вам то, а то — раз — и это».

Мой-то внутренний возраст — 7, но разве мне от этого легче?!

Каждую ночь (каждую!) я просыпаюсь в горестном недоумении: «Мне 50». Горестное недоумение больно колет меня иглой. Больно!.. Если это переходный возраст, то, пожалуйста, Господи, пусть он скорей пройдет!

Опрос Нади показал благоприятные результаты — она тоже просыпается.

Более того, Надя утверждает, что в с е просыпаются.

Все просыпаются с ужасной мыслью: «Мне 50 (51, 52...)».

Надя утверждает, что за этим следует вторая ужасная мысль: «В моей жизни не было ничего хорошего, а она уже прошла!» Тут я не согласна: сказать, что в моей жизни не было ничего хорошего, это просто свинство.

Надя утверждает, что возможен вариант: «В моей жизни было столько хорошего, неужели все уже прошло?» Ну... да. Пожалуй, Надя н е т а к у ж неправа.

Судя по опросу, Надя более смиренно относится к своему возрасту, чем я.

Надя не восклицает обиженно про себя: «Как так, Господи, мой внутренний возраст 7, а мне почему-то 50?»

Не канючит про себя: «Да-а, но ведь мои способности к обучению ничуть не пострадали: я по-прежнему быстрее всех решаю задачу, или повторяю скороговорку, или заучиваю новые слова... Ты уверен, что мне 50, Господи?»

Не орет «а-а-а!», встречая слова, которые в д р у г не знает, отчего возникает ощущение, что чего-то не понимаешь, не догоняешь. Кстати, эти «лайфхак» или «хэштег» всегда оказываются ерундой, нечего было и беспокоиться.

Надя считает, что это просто реакция (просто!) на число 50 и скоро пройдет.

...Но вот о чем хотелось бы поговорить с тобой, Господи: знаешь, Господи, я уже давно жду, когда это пройдет. Я имею в виду это горестное недоумение, которое так ужасно больно колется. Эта острая горестная мысль: «Мне 50».

Говорю тебе прямо, Господи: «Мне уже не 50, а 52», а я все так же просыпаюсь с острой горестной мыслью «Мне 50»... Ну же, Господи, услышь меня, а?..

Вот же черт, вот прямо все сразу: измена Пашки, измена Максима, душевный кризис, творческий кризис, возрастной кризис, Надин депресняк, кризис в стране! Черт, черт, черт, ну что же все сразу-то?..

- Решений не думать о плохом, не думать о возрасте, изменах, кризисах, н е д у м а т ь о возрасте, не называть больше числа 50, 51 52, 53 и т. д. (особенно не называть число 54, четные числа почему-то еще ужасней) — 1.
- Сигарет, выкуренных после полуночи, — 3 (могут быть отнесены к следующему дню).

ГЛАВА ТРЕТЬЯ
Про деньги, ага

Я много раз призвала себя: «Аня, не думай о плохом, думай о хорошем!»

Много раз прикинула, о чем же мне думать.

Не нашла, о чем хорошем подумать. Послала Максиму смс «Не ждите. Аня» (слизала с Нади) и на его смс «Не понял» написала «У меня депресняк». Ответа не было.

Затем написала: «Ты завязал шарфик потеплее?» Максим в Норвегии на зимней рыбалке, очевидно, на льдине пропала связь. Шарфик — потому что у него частые ангины.

Максим уехал на рыбалку ради денег. Не в том смысле, что наловит рыбы и накормит семью.

Он ни разу в жизни не держал в руке удочку. Его пригласил возможный будущий инвестор, человек, который хочет дать денег на кино, — времена сейчас тяжелые, вот он и поехал. Завязал шарфик потеплее и поехал.

Уехал и не оставил мне денег: нет, ничего личного, просто забыл. Карточка моя не знаю где, кода от нее я не знаю, да и есть ли на ней деньги... Наличных денег 12 тыс. 300 руб.

И я наконец поняла, о чем х о р о ш е м подумать. О деньгах.

Деньги. Вот что меня порадовало бы.

Деньги (я уже говорила, лучше евро, можно доллары, рубли я не так уж сильно люблю), они же свобода, — вот то, что меня порадовало бы. «Большие деньги», «хорошие деньги», «лишние деньги», «шальные деньги», «приличные деньги» — все это меня порадовало бы.

В каждой знакомой мне семье свой стиль отношений с деньгами (со свободой).

1. У Нади — равенство. Она и ее муж складывают зарплаты в коробочку. Такой стиль подразумевает полную открытость всех трат и всей жизни.

— Ты на что взяла из коробочки половину денег?

— На туфли.

— Ах, на туфли... Ты ведь уже покупала туфли. Сколько, в конце концов, у тебя ног?!

Согласитесь, что знать о другом человеке, сколько у него ног, это гадость.

2. У Бедной Аллы — матриархат (был когда-то давно, в молодости): Пашка отдавал ей зарплату. Под гнетом оказанного доверия Алла не могла истратить все на ленты-кружево-ботинки. ...А вдруг

именно тогда она перестала быть для него женщиной и стала хозяйкой?..

3. У наших тридцатилетних девочек на студии: у него свои деньги на карточке, у нее свои. Я спрашивала их, как в этом случае формируется бюджет, к примеру, ужина: он платит за вино, а она за куриные ножки? А на десерт скидываются? Фу, как чужие прямо... Девочкам, как и мне, не нравится этот стиль, но они не знают код от его карточки.

4. У Зинаиды, моей подруги-предпринимателя по прозвищу Зинаида-олигарх, — осознанный курс на то, чтобы не зависеть от мужчины вообще. У Зинаиды не было отца, ее мама рассчитывала только на себя. Зинаида считает нормой, что ее мужчина вообще не вносит свой вклад в семью. Она сама все оплачивает — фитнес мужа, машину мужа, карманные расходы, казино, а ему денег в руки не дает.

5. У Бедной Аллы сейчас — стиль «новых русских». Пашка дает ей деньги. Деньги могут появляться в тумбочке, поступать на карточку, выдаваться наличными по требованию. Это хорошо, но очень зависишь от любви. Сейчас, когда открылась вторая семья, останется ли у Пашки семейная привычка выдавать столько же денег, что и раньше? А как у него во второй семье? Хорошо, когда деньги несут еще и эротическую нагрузку, но если станет меньше любви — станет меньше денег?..

35

Теперь необходимо объяснить, почему в нашей семье сложился такой оригинальный, неповторимый стиль обращения с деньгами: почему я — как маленький ребенок, которому каждый день дают в лапку немного на карманные расходы, кладут на карточку деньги на одежду и путешествия...

Потому что у меня с деньгами и карточками не складывается: деньги я теряю или у меня их вытаскивают, в общем, они улетучиваются из моих рук и сумок. А вот с карточками иная картина: карточки я либо теряю, либо у меня их вытаскивают. И да, я навсегда забываю код. Так что я никогда не знаю, что мне лучше взять с собой, карточку или наличные деньги. Поэтому у меня часто нет ни денег, ни карточки.

Из этого получаются сцены, которые я могу использовать в сериалах. Например, однажды я оказалась одна в Венеции без наличных денег. Банкомат отказался даже впустить мою карточку в себя. А надев очки, я увидела, что пытаюсь запихнуть в банкомат вовсе не Visa, а скидочную карту из магазина «Элитное белье». У магазина «Элитное белье» мания величия — они сделали свои карточки точь-в-точь как Visa, — вот я и взяла ее вместо Visa. В родном городе легко улучшить свое материальное положение (можно взять наличные деньги у мамы), но что делать за границей глубокой ночью?.. И что же? От ночлега на скамейке меня спас чемодан «Луи Вуитон» (персонал в хорошем отеле умеет отличать настоящий «Луи Вуитон» от поддельного, вот меня и приняли за человека, у которого есть много карточек наверху на крыше (сейчас не все знают наизусть «Карлсона», поэтому напоминаю, что у него наверху были не банковские карты, а паровые машины), а то бы узнала, почем жизнь бомжа. ...В одном сериале я использовала эту сцену для завязки: сбежавшая от плохого богатого мужа героиня ночует на лавке в центре Венеции, где и знакомится с... Кто видел этот сериал, знает, что на этой лавке ее жизнь меняется к лучшему.

Мне всегда было очень удобно, что Максим выдает мне деньги как ребенку. Свои-то деньги я тратила мгновенно, затем вспоминала, что его — тоже мое. Я ни на чем не настаиваю, пусть тридцатилетние девочки со студии имеют какие угодно убеждения по поводу политики, воспитания детей и нравственности, но я всегда им говорю: девочки, единственно разумный подход в обращении с деньгами: это все, что его, — ваше.

Он вам любовь и деньги, вы ему любовь. Девочки волновались, не будут ли в таком случае признаны нахалками и жадинами, но быстро согласились со мной, что принцип «все его — мое» — это основа жизни на земле.

Я хотела подумать о деньгах как о хорошем, но и тут выходило плохое тревожное: я вдруг представила, что Максим уехал не на рыбалку ради денег, а вообще уехал. Ну, к примеру, ушел от меня.

Встретил норвежку, остался в Норвегии, перестал снимать кино. Мало ли что бывает. И что я тогда?..

«А вдруг у меня не будет денег?..» Этот страх преследует всех, даже миллионеров. Меня точно. Даже Зинаида-олигарх боится — вдруг не будет денег?! Не имеет значения, сколько у нее денег на счетах: страх иррационален. Заставляет Надю откладывать деньги на старость, а Зинаиду заставляет вкладывать в акции. Страх сам покупает недвижимость (вообще неважно, квартирку в Московском районе на случай «будем сдавать, если что» или замок во Франции с той же мотивировкой «будем сдавать, если что»). Страх крутится у завещания богатого дяди, как в «Войне и мире» (так уж мы устроены, что нам интересно, что там, в завещании), страх (глаза-то у него велики и воображение хорошее) представляет, как мы засовываем карточку в банкомат, а на экране выплывает надпись «На вашем счете 0 рублей 0 копеек» и «Валите отсюда, попрошайка».

Страх будит крепко спящую в нас осторожность и заставляет подумать: а мало ли что? Вдруг Максим больше не будет снимать кино или бросит нас? Вдруг когда-нибудь мы станем бедной питерской старушкой, у которой есть деньги на хлеб и кефир, а на филармонию нет?

Я входила в образ бедной питерской старушки, по-актерски накручивая в себе состояние отчаянной бедности: не на что ходить в кино, филармонию, театр, на фитнес денег тоже нет...

Бедная Питерская Старушка будет сидеть дома: читать книги (слава богу, книг ей хватит на всю жизнь, у нее огромная библиотека, любимые книги стоят в гостиной в третьем от двери книжном шкафу) и пить кефир, осунувшаяся, но гордая и независимая.

...Независимая? Ни черта она не независимая! А если ей потребуется операция (возрастная катаракта или еще что-нибудь) — на что ей сделать операцию?!

На операцию есть квота (квота — это бесплатное, за чем нужно долго ходить и стоять в очередях), а я, Бедная Питерская Старушка, не привыкла стоять в очереди...

А если ей потребуется концерт Спивакова в филармонии? А если приедет Доминго?

А если ей потребуется в Прадо взглянуть на Эль Греко, а если ей потребуется Prada? На Спивакова и Доминго нет квоты, на Эль Греко нет квоты, на Prada нет квоты. Как подумаешь, УЖАС на сколько всего хорошего нет квоты, а на катаракту есть.

Нам нужен д о х о д! Не муж, который сегодня снимает кино по нашим сценариям, а завтра нас бросит. А доход.

Для того, чтобы человек уверенно смотрел в будущее, должен быть постоянный (и неиссякающий!) источник дохода.

Но что это может быть? Все на свете может закончиться — доход по акциям (акций у меня нет), пенсия (пенсия — это один поход на Доминго), даже квартира «для сдачи, если что» может закончиться — сгореть или арендатор съедет, съев диван. У одной моей подруги арендатор исчез вместе с диваном. Тем более в стране кризис.

Тем более кризис.

Нельзя сказать, что я никогда не видела кризисов. Кризисов я, как и все, видела много. Но они как-то проходили мимо меня (прямо слышу обиженное детсадовское «тебе-то хорошо, Анечка»). Наплевать мне было на кризисы. Я не голодала в 90-х, вместо очереди с талонами ездила на фестивали за границу, не заметила 1998-й, в 2008-м написала первый сценарий... А вот сейчас этот чертов кризис!

Не то чтобы мы с Надей не можем вести хозяйство без пармезана, хотя каждый знает, что без пармезана не сделать салат с креветками... Но я впервые в жизни испугалась. Неуверенность какая-то появилась. Прямо пахнет вокруг неуверенностью, тревогой, тоской, униженностью. Слова вокруг витают с горестной интонацией, какой прежде не было: кредит (много знакомых, взявших кредиты, и за границей, в валюте, ох!), пенсия (много знакомых 50+, и все обсуждают какую-то дрянь: как будем жить, если что случится... уже случилось: кому понадобилась операция за границей, у кого детям пришлось прервать учебу в Оксфорде, у кого вообще суп не густ)...

Когда Зинаида-олигарх приходит ко мне в гости, Надя слушает, как она жалуется, что у нее кредит 100 миллионов не отдан и в доме на десятый туалет мрамора не хватило, и знай подает ей оладьи и кивает, сочувствует. Надя очень правильный человек: могла бы неприятно усмехаться и думать: «Ну, Зинка, мне бы твои заботы, вот зачем тебе десять туалетов в доме, у меня вот один и то течет», но она понимает — важно не что человек переживает, а как сильно. И можно быть жутко несчастным оттого, что десятый туалет без мрамора, у каждого свои в жизни фетиши, мечты, смыслы.

В общем, все эти разговоры один другого ужасней. От них возникает страх.

Страх перед будущим? Страх, что уровень жизни ухудшится? Страх, что мы возвращаемся в совок? Страх, что... Что ЧТО? Ну, просто страх.

Я вдруг представила себя стрекозой, которая вернулась в совок с у х у д ш и в ш и м с я уровнем жизни — «ты все пела, это дело...». Я все советское люблю, потому что это моя юность: кефир, запах книг в районной библиотеке, вареная сгущенка (в колхозе варили, чуть амбар не сожгли), нормы ГТО (не сдала). Но я не хочу обратно в совок. А кто хочет? В пустые прилавки, в очередь к врачу?

Максим любит говорить: если что, уедем, и все. Но я не могу уехать жить за границу: мне тут надо.

Я много раз жила на чужой планете и всегда знала, когда прозвучит голос: «Аня, тебе пора в город Ленинград на Октябрьский парад». Месяца через четыре прозвучит, не позже.

Так что прожить лучшие годы 50+ придется в Питере, так сказать, в Ленинграде — городе у Пяти углов — Бедной Питерской Старушкой.

...У Бедной Питерской Старушки должен быть бизнес. Чтобы она чувствовала себя независимой бедной питерской старушкой.

А бизнес ниоткуда не возьмется. Имею в виду бизнес с а м не возьмется. НУЖНО ЧТО-ТО ДЕЛАТЬ!

Как приходят лучшие бизнес-идеи? Все бизнес-психологические книги утверждают: у тебя уже все есть, чтобы стать успешным бизнесменом. ВСЕ ЕСТЬ. Ну, то есть у тебя есть ты сам.

Я несколько раз сказала себе: «Не может быть, чтобы я ничего не придумала прямо сейчас».

У питерской старушки должен быть бизнес с неиссякаемым доходом — это моя концепция. Но что, скажите на милость, не иссякает?

Что вообще бывает у людей для бизнеса? Неземная красота? Первоначальный капитал? Роскошная бизнес-идея? Инвестор?

Что из этого у меня есть?

Несколько раз вслух задала себе вопрос: «Что у тебя есть, чтобы немедленно сделать свой бизнес без всяких вложений, а?!» с разными интонациями, от приветливой до грозной.

В ответ я один раз промолчала, один раз пискнула «ничего у меня нет!», один раз огрызнулась «я уже сказала, нет у меня ничего!».

Позвонил Максим. С льдины плохо слышно.

— Ты поймал рыбу?

— Что?.. Не слышу.

— Рыбу какую-нибудь поймал?.. Ладно, черт с ней, с рыбой, ты не забыл шарфик? Ты не замерз? Как ты вообще? Не слышишь?.. Ладно, у меня все нормально, ты забыл оставить деньги...

— Опять?! Может, тебе уже пора повзрослеть? Приучайся думать сама! — рявкнул Максим.

Сама, почему сама? Почему о п я т ь? Я опять не напомнила, я опять заставляю его думать обо всем, почему я... почему о н? Почему так со мной разговаривает?.. У него плохое настроение, ему надоело за деньги сидеть на льдине? Не буду рычать в ответ, буду сдержанна и любезна.

— Ты звонишь, чтобы испортить мне настроение? — холодно, как льдина, на которой он сидит за деньги, спросила я. — Хорошо, если ты предлагаешь мне думать самой, я буду думать сама.

Так, думать сама. Думать с а м а. Но о чем?

...Может быть, время упущено? Может быть, нужно было открывать бизнес раньше?

А что у меня было раньше? Я была хорошей девочкой с хорошим образованием из хорошей семьи, с точки зрения бизнеса — ни-че-го. Значит, время не упущено.

ИТОГ ДНЯ:

- Идей для бизнеса — 0.
- Мыслей, что у меня ничего нет, имеется лишь всякая ерунда типа «я сама» — 255.
- Сопутствующих мыслей «все лучше меня, я хуже всех» — 255.
- Разговоров с Бедной Аллой — 1.

Она сказала: «А вдруг я не приношу пользу?»

Ну, это вообще просто какой-то понятийный кризис: меня никто не понимает, но и я не понимаю никого! Мне казалось, Алла будет говорить, как быть с Пашкой, с его новой семьей, этой женщиной, как реагируют сыновья, а она вот о чем, о смысле жизни.

Алла сказала, что чувство своей необходимости миру, законности своего существования возникает у человека, когда он только что родил ребенка, — а потом уже нужно доказывать. Она собирается доказывать законность своего существования тем, что соберет всех Пашкиных детей вместе — своих сыновей и двоих детей из другой семьи (ух ты, там оказалось двое детей!), чтобы у всех было чувство, что они часть чего-то целого. Сказала, что хочет учиться великодушию и милосердию.

Алла вообще-то гений.

До того, как стать сценаристом, я была психологом, читала лекции, учила студентов. Любимый вопрос студентов, который они мне задавали на лекциях, был: «Скажите как психолог, что делать, если тебя бросят?» Даже на экзамене студент возьмет зачетку и: «Ой, а можно вопрос? Что делать, если тебя бросят?» Как будто все только и ждут, когда их бросят... Я так привыкла к этому вопросу, что отвечала, даже если меня не спрашивали: «Если вас бросили, разлюбили, предали, идите учиться». Я это где-то прочитала, а Алла сама придумала: учиться великодушию, чтобы принести пользу миру. Гений просто.

Я и сама все время думаю: вдруг я не приношу пользу (недостаточно приношу, вообще не приношу)... ну, человечеству? Это мой большой страх: что, если я нужна мирозданию, как козе баян?

Меня п р а в д а это волнует: я испорчена своей бывшей профессией. Когда много лет едешь на лекцию в университет и думаешь, чего это ты сюда прешься по пробкам, а после лекции выходишь и знаешь, чего это ты сюда перся по пробкам: после твоей лекции студенты знают больше, чем до нее, ты улучшил ситуацию в мире на конкретное знание. Такая работа портит человека.

Если человек давно уже не читает лекции, а пишет сценарии для сериалов, то как ему знать, нужен ли он мирозданию?

А вот как: напротив Кузнечного рынка есть магазинчик дисков. Я пошла туда, нашла на полке несколько своих сериалов и спросила продавца, покупают ли их.

Как вы думаете, продавец сказал мне: «Да, раскупают, как горячие пирожки»? Продавец сказал мне: «Могу предложить хороший сериал, все спрашивают» — и дал мне диск с е е сериалом.

Что еще нужно человеку для осознания своей бесполезности для мироздания? Чтобы мироздание ему прямо сказало: «Не пиши больше сценариев, не пиши, не пиши».

• Аллиных звонков — 3 (говорит, что решение доказывать законность своего существования тем, чтобы собрать в с е х Пашкиных детей, — от стресса. Она соберет с в о и х детей, чтобы обсудить с ними, какой Пашка подлец, и запретить общаться с отцом. Детям, программисту и хирургу, 34 и 36. Внукам тоже нельзя будет общаться с Пашкой, иначе Алла проклянет невесток, и пусть тогда подлец Пашка сидит с внуками вместо нее).

• Надиных окриков «Опять курите?..», «Когда вы уже бросите?» и «Все уже бросили курить» — 20 (кто эти все?).

• Чувство вины от выкуренной пачки сигарет — как обычно.

ГЛАВА ЧЕТВЕРТАЯ
Не там, не с теми, не ты

Сегодня утром со мной произошел поучительный случай.

Я ушла на фитнес, а когда вернулась домой, не смогла открыть дверь. Свою дверь. Где я живу.

Тыкалась ключом в замок и — никак!

Надевала очки и рассматривала замочную скважину.

Отходила подальше и бросалась на замок, пинала дверь ногой.

Я успела обвинить себя: я сошла с ума, что не могу открыть дверь. И других: они (Надя и Максим), гады, поменяли замок, не сказав мне.

Когда я вышла поплакать на улицу, я вдруг обнаружила, что нахожусь у другого подъезда. Не своего. Не где я живу. И все это время ломилась не в свою дверь.

Это не просто история о тетке, которая пошла на фитнес и забыла, где живет. Не из-за маразма.

Просто мы переехали не так давно, два года назад. Мы всегда жили на Невском и теперь живем на Невском, но в другом доме. Нормальный человек не станет тут жить: этот красный дом на углу Невского и Фонтанки, у Аничкова моста, знают все жители Центрального района: там был исполком и ЗАГС, где все женились вторым браком. Первым женились торжественно, во Дворце на Неве, а вторым тихонечко тут. Исполком и ЗАГС выселили, дом реставрировали и продали квартиры — тут мы теперь и живем: вместо небольшой уютной квартиры на Невском (на тихом Невском, во втором проходном дворе, окна во двор, вход за водосточной трубой) у нас огромная парадная квартира на Невском.

Нормальный-то человек не станет жить вход с Невского и окнами на Невский — это спать на Невском, завтракать на Невском, доставать трусы из шкафа на Невском.

И самое главное: в нашей квартире был ЗАГС. Мы тут с Максимом женились 15 лет назад, в день моего 40-летия. Ну да, вы хорошо считаете, молодцы: 15 лет назад мне было 40, а сейчас, значит, 55. А не 52, как я раньше говорила.

У нас есть комнаты, в которые мы никогда не заглядываем: комната, в которой женихи и невесты сидели рядком, чтобы подать заявление, и невесты украдкой рассматривали чужих женихов, и соседняя, где жених и невеста ждали, когда тетки выкрикнут: «Молодые, кольца принесли?»

Мы никогда не заходим в эти комнаты: нас ведь только двое, наши с Максимом дочери живут кто где, его дочь в Москве, моя в Берлине. Что мне делать в этой огромной квартире, может быть, устроить в ней снова ЗАГС? Буду советским голосом кричать: «Молодые! Войдите!.. Нет! Молодые! Постойте!» Рублей 500 можно за это брать, вот и бизнес.

Так вот, — насчет того, что я ломилась не в свою дверь. Вот так злишься, недоумеваешь, плачешь — и вдруг обнаруживаешь, что ты н е т а м... А ведь это и в голову не могло прийти. Не там, не с теми, вообще не ты...

Одна моя подруга при разводе говорила, что ее жизнь разбита (ну, сами знаете — отдала лучшие годы и трое детей). И вдруг завела роман и лучится от счастья, как десятиклассница, в духе «я не знала, что такое бывает». Ага — не знала, а теперь узнала! Иногда нужно просто выйти из прежней жизни, как из чужого подъезда, и обнаружить, что все это время мы были н е т а м, а ведь это и в голову не могло прийти. Энштейн говорил: «Вы не можете решить задачу на том уровне, на котором она была поставлена».

Вот именно, нужно просто решать задачу не на том уровне... А на каком?..

На другом.

Я, по Энштейну, перешла на другой уровень: больше не пыталась придумать бизнес. Как вообще можно придумать бизнес из воздуха? Типа утром ты сценарист, а вечером у тебя фирма по перевозке мандаринов из Абхазии (кстати, это не такой плохой вариант, бизнес желательно должен быть про то, что ты любишь, а я люблю абхазские мандарины).

Нет, нужно пойти от противного: представить себе объявление «Требуется Анна Коробова». Остается закрыть глаза и увидеть, кто дал это объявление, и будет ясно, какой мне открывать бизнес.

Я закрыла глаза. И перед моим мысленным взором возник столб. Ну, столб.

На столбе было приклеено объявление: «Требуется Анна Коробова». Объявление (четверть тетрадного листа в клеточку) было приклеено косо, написано от руки ручкой за 35 копеек, внизу были ленточки с номером телефона, чтобы отрывать и потом звонить.

Что бы это значило? Почему мое объявление не на сайте, а на столбе?! Почему бы не напечатать объявление на компьютере или хотя бы на машинке?

Да потому, что это чистый психоанализ! Ведь это мое подсознание ответило мне: «Аня?.. Напоминаю, ты родилась в середине прошлого века, когда писали ручкой за 35 копеек». «Аня, тебе поздно придумывать бизнес», — ответило подсознание и приклеило объявление на столб клеем «Момент». Скажу честно, это было неприятно: собственное подсознание напоминает вам о ручке за 35 копеек и клее «Момент»!.. Если уж подсознание намекает, что бизнесом (по мнению подсознания) занимаются лишь бойкие тридцатилетние люди!.. А не вы, не те, что родились в прошлом веке.

Это было обескураживающе, но я не сдалась: можно ведь перевесить объявление со столба на сайт. Если представить, что мое «Требуется Анна Коробова» висит на сайте, кто все-таки его повесил?

...Знаете, кто это был? Программист в плавках. Я увидела его мысленным взором: загорелый, живет на о. Бали. Там много программистов из России, им требуюсь я.

Зачем ему я? Если вы еще не догадались, зачем ему Анна Коробова, то объясняю: я могу преподавать в младших классах:

— математику и все остальные ужасные предметы — физику, химию, биологию (я кандидат физико-математических наук и уж как-нибудь выучу биологию для младших классов),

— черчение (не знаю, зачем младшим школьникам черчение, но я окончила Политех),

— английский (в начале перестройки, когда стало можно учиться за границей, я получила диплом Лондонского университета для иностранцев),

— психологию (я получила диплом Санкт-Петербургского университета, чтобы читать лекции студентам),

— русский и литературу, историю (я же бывший сценарист, имею понятие обо всем),

— что уж мелочиться, рисование и пение (думаю, можно не петь и не рисовать самим, а обойтись историей искусства?).

Теперь, я думаю, понятно: у программистов-то есть дети. Детям нужно учиться в школе, а школы на Бали нет. Нанять учителей по всем предметам затруднительно, а тут я — школа из одного человека. Дополнительно ко мне нужны только уборщица и директор.

С одной стороны, это был неутешительный результат: никакой мне не бизнес, а опять преподавать, как будто я вообще ни на что не годна. С другой стороны, утешительный: не каждый представляет собой целую школу на о. Бали.

Но в любом случае, я не собиралась сдаваться и, как навязчивый ребенок, теребила за рукав свое подсознание — давай еще попробуем! Например, я закрою глаза, представлю, что у меня уже есть успешный бизнес, а ты, Подсознание, покажешь мне новую меня, владелицу успешного бизнеса: как я выгляжу, во что одета... тем и намекнешь, какой у меня бизнес.

Внимание! С этой минуты у меня не то чтобы сразу получилось, но все пошло как-то по-другому. От печали и депрессивных мыслей двинулось к приемлемому, позитивному рабочему настроению.

Я назову этот момент «поучение». «Правило» звучит навязчиво: кто я такая, чтобы называть свои мысли правилами? А поучать — почему бы нет, кто может запретить мне советовать, наставлять на ум, вразумлять? Я ведь могу поучать, а вы не поучаться. Можно вообще не слушать, что тебе говорят. Максим все время меня вразумляет, что да как, Надя все время меня поучает, а я не поучаюсь.

ПОУЧЕНИЕ. Закройте глаза и представьте, что все — без конкретики, просто в с е — сбылось (интересно, что это будет?).

Я закрыла глаза и увидела:

— себя в черном костюме с ниткой жемчуга на заседании правления банка...

...Нет! Правление — нет, банк — нет. Костюм и жемчуг — не мой стиль.

— себя в собственном бутике...

На вешалках белое и черное, посреди бутика черная козетка с белой шкурой, пока женщины примеряют одежду, продавец подносит их спутникам рюмку водки — это будет мое ноу-хау, видела такой бутик за границей. Дизайнерский свет, красиво.

...Ну что, да?

Нет. Я хочу сама носить всю одежду из этого бутика, я хочу сама лежать на белой шкуре, и рюмку водки я выпью сама... Мне безразлично, как будут одеты какие-то чужие люди. Как выражаются герои в сериале моей соперницы, «мне пофиг». (Давно уже не думаю о ней, почему Максим предпочел ее, уже почти час не думаю о ней и о Максиме, почти час — если быть точной, 10 минут, — это много.)

Также оказалось, что мне безразлично, что будут есть чужие люди (ресторанному бизнесу решительное нет).

Торговля продуктами — фу.

Торговля чем-то приятным в атмосферном магазинчике (свечи, блокнотики, украшения своими руками) — не фу, но нет. Никогда не покупаю свечи, боюсь пожара.

Придется вернуться к тому, что я умею делать хорошо: читать лекции по психологии. Отсюда понятно, какой бизнес: психологическая консультация.

Я закрыла глаза и увидела себя в собственной психологической консультации. На конторке лежит книга отзывов со словами «Вы вернули меня к жизни» (я вернула к жизни!), на моем лице глубокая сосредоточенность на проблемах клиентов... К черту клиентов!

Я не смогу работать с клиентами по очень личной, интимной причине, в которой никому не смогла бы признаться: я боюсь, что клиент окажется психом, а тревожная кнопка не сработает. Возможно, этот страх означает, что я сама псих. Тем более: психу с психами нельзя.

Я не смогу с пси... то есть с клиентами, но зато я могу преподавать на сценарных курсах.

То есть открыть курсы сценаристов. «Как написать сценарий», «Как продать сценарий», «Как попасть в Голливуд», «Как написать сценарий блокбастера» и так далее.

В этом бизнесе есть плюсы: можно быть в черном свитере или черном кривом-косом платье. Та-

кой черной кривой-косой одежды у меня много. Это
б о л ь ш о й плюс.

Такой бизнес мне знаком: я вела такие курсы на
«Ленфильме». И название не надо придумывать,
вот — «Сценарные курсы Анны Коробовой».

Минусы: я скорее умру, чем открою сценарные
курсы.

Почему? Почему... А очень просто: я стесняюсь.
Одно дело меня на «Ленфильме» попросили, я про-
вела курс, и с меня взятки гладки. Совсем другое
дело открыть сценарные курсы как бизнес. Люди
могут меня спросить: а ты сама-то чего не в Голливуде? Как раскупаются твои диски в магазине у Кузнечного рынка? И чего уж такого по твоим сценариям снято? Премии где? Рейтинги каковы? И чего
это ты пишешь всегда семейные истории, другого
не умеешь, что ли? Поэтому твой муж предпочел
тебе другую?

Кроме того, я не верю, что от моих курсов человек научится писать. А если кто-то графоман?
А если я сама графоман?

И п р а в д а, не такой уж я прямо сценарист (подумаешь, сериалы, подумаешь, семейные сериалы),
чтобы ВОТ ТАК ВЗЯТЬ И ОТКРЫТЬ КУРСЫ.
Есть сценаристы с именем — они преподают в Москве, в известных киношколах. А если я открою —
люди будут смеяться.

Ну и потом, если уж уходить из профессии, то
в совсем-совсем другое.

Вот если бы просто говорить с людьми о кино, открыть Киноклуб... Пить чай в саду, смотреть кино, обсуждать кино... Чтобы не просто «ну да, смотрел...», а чтобы стать после кино немного другим, создать свой мир, в котором ты и автор, и житель, сделать мир немного лучше... Но кто же за деньги придет смотреть со мной кино? Люди-то платят за необычное, а за обычное в саду не платят.

А вот еще бизнес, раз уж речь идет о необычном: Академия любви. Моя школьная подруга открыла.

На первом курсе учит, как соблазнить мужчину, на втором — как удержать мужчину, затем — как построить отношения после развода... У нее и по сексу есть специалисты: спецкурс «техники орального секса» и прочее. Сама-то она знает, что ее бизнес — обман: нельзя соблазнить при помощи техник.

Она-то сама соблазнила своего нынешнего мужа при помощи коллекции марок: ее первый муж собирал марки, и когда он умер, второй муж женился на ней ради коллекции марок. Там в коллекции есть редкие марки.

Директор Академии любви одевается в романтические туники, как будто Ассоль и сейчас под алыми парусами приплывет принц и простит ей техники орального секса. Туники — не мой стиль.

Что-то я себя ни в чем не вижу, то есть никем не вижу. Поучение 1 вообще не работает.

Ох, что было потом!

Стыдно признаваться, но признаюсь. Надя напекла для Максима драников, я съела почти все, и ей пришлось печь еще. Но не это главный позор. Главный позор в том, что я принялась подсчитывать свои доходы.

Так и не придумав, чем буду заниматься, начала подсчитывать гипотетические доходы!

Позвонила Алле и, вкратце описав ситуацию словами «вот если бы я открыла бизнес», спросила:

— Как ты думаешь, сколько обычно приносит небольшой женский бизнес? Сколько вообще нужно зарабатывать, чтобы это считалось бизнесом?

— Ну, думаю, если скромно... А ты хочешь скромно? Ну, если скромно, пусть будет пятьсот тысяч в месяц... На пятьсот тысяч в месяц до падения рубля можно было съездить куда захочешь, если разумные потребности. ...Что ты молчишь, думаешь, мало?.. Ну, тогда пусть будет миллион, — ответила Алла.

Последний рабочий день Аллы был в НИИ тридцать лет назад. Алла избалована Пашкой, хорошо бы так и оставалось. Я спросила, как прошла семейная встреча всех Пашкиных детей. Хорошо, только Аллины сыновья не захотели встречаться. Обижены за мать, не хотят видеть новых детей отца и самого отца, и денег его не хотят, и внуков к нему не пускают. Такая трагедия. Как будто я это сама написала...

У меня был сериал «Наследство», там именно так и было. Но потом как-то все устроилось: обнаружилась еще одна дочь из деревенской юности, и обе семьи объединились в борьбе с ней, но она кого спасла, кого вылечила, и все помирились. Простите.

— Тысяч тридцать, я думаю, будет хорошо, как моя зарплата в лицее, — ответила подруга-учительница.

— Зачем вы госслужащих спрашиваете, лучше Зинаиду спросите, она же олигарх, по бизнесу, в общем, — подсказала Надя.

— Если в месяц меньше ста тысяч долларов, то и с дивана вставать не надо, — сказала Зинаида-олигарх по бизнесу. — Выбери род деятельности: нефтяные скважины или вязать шапочки. В зависимости от твоего уровня притязаний. Знаешь, как посчитать прибыль? Вычти все затраты: оборудование, налоги, чиновников.

Зинаида-олигарх ворочает нечеловеческими миллионами. Но безналичными (по-моему, безналичные деньги — ненастоящие, отличаются от наличных, также как «поцелуйте куклу» от настоящего поцелуя). У нее большой мужской бизнес — наружная реклама и производство чего-то очень существенного, очень нужного, сейчас забыла чего именно.

Требуюсь Я!

Мы разные с Зинаидой. У нее мужской бизнес, а я хочу женский. У нее «безнал», а я хочу хорошенькие монетки, чтобы можно было бросить их в море «на возвращение», чтобы они приятно гремели в кармане и я могла их посчитать.

— Ты не поняла. У меня маленький бизнес. Женский. Речь не идет о сотнях тысяч долларов.

— Ну, в любом случае, ты должна спросить себя: «Сколько я хочу зарабатывать?»

— Сто тысяч рублей или двести. Вообще, я хочу зарабатывать миллион, но не больше трехсот.

— Как это не больше, почему не больше? — удивилась Зинаида.

— На то есть свои причины, — туманно ответила я.

Какие причины? Свои.

Такие причины, что я еще не придумала бизнес.

— Не хочешь пока говорить, какой у тебя бизнес, чтобы не сглазить? Правильно. Не говори. Но я тебе советую: не начинай сейчас ничего с л и ш к о м большого: в кризис лучше всего... В стране кризис, если ты вдруг забыла!..

Кризис? С чего это я забыла про кризис? Я прекрасно помню.

Не начинать ничего слишком большого? Это зависит от того, что считать с л и ш к о м. Одна моя знакомая начала вязать шапки: ее шапки взорвали Интернет, и она продала пять штук.

Такие, с двумя помпонами... Она не окупила затраты на рекламу шапок в сетях.

Можно было бы подумать, что шапки в кризис — это с л и ш к о м. Но нет, в социальных сетях написали, что предпочитают шапки с одним помпоном. ...Получается, в кризис один помпон хорошо, а второй помпон с л и ш к о м. Слишком много помпонов для кризиса.

— Эй, ты меня слышишь?.. В кризис лучше всего продаются еда и дети. Еда и дети, запомни.

Дети в смысле — образование, игры, — не сами дети. Зинаида-олигарх очень хороший человек, она бы даже в шутку не сказала о торговле детьми. Просто в жизни все говорят, как будто это поток сознания, бормочут, пропускают слова... Когда пишешь диалоги, нужно соблюдать правильную меру, чтобы речь была естественной. Жаль, что мне больше не придется писать диалоги. Я люблю писать диалоги. А ее диалоги такие, на первый взгляд бойкие, но не глубокие, и через каждое слово звучит «ну че-е...». Я не ханжа, но если с экрана у нас будет звучать «ну че-е...» как норма жизни и норма языка, то... разве это хорошо? И еще у нее немного кривые ноги.

ПОУЧЕНИЕ от Зинаиды-олигарха. В кризис лучше всего продаются еда и дети. Еда и дети, запомните.

ИТОГ ДНЯ:

• Сигарет — 20.

Приехал Максим. В прихожей раздавались резкие звуки, как будто он с размаха кидал об стенку удочку, сумку, ботинки, шапку, шарфик.

Притворилась спящей. Не знаю, почему я так поступила — невыносимая обида за все.

Сквозь сон слышала, что он сказал кому-то по телефону: зря мерз — вопрос с деньгами остался открытым. И на завтра вызваны актеры на кастинг. Об актерах на главные роли он еще не думал.

Да?! Не думал?! А раньше мы с ним обсуждали актеров на главные роли! Раньше вместе смотрели фотографии актеров, раскладывая их на столе, играли, как будто это карты... А теперь он говорит кому-то, не мне, что на завтра вызваны актеры на кастинг и что об актерах на главные роли он еще не думал. Он не думал! Он! (Не «мы с Аней подумаем», не «Аня, как ты думаешь?».) Спокойной ночи, хррр.

Притворялась спящей, пока он не уснул.

И вот какая у меня д и к а я мысль: может ли быть, что ему нравится она, а не ее сценарий? Это д и к а я мысль, для Максима всегда было на первом месте дело. Может ли быть, что у него так снесло крышу — снять плохое кино, — ведь это же его имя — и деньги...

Но ведь у моего дружка Пашки тоже д и к а я мысль — поселить свою пассию (ну хорошо, не пассию, а новую семью с двумя детьми) на своей улице.

Мужчины 50+ совершают д и к и е поступки. Ты же психолог, Аня, вспомни свое образование, Аня, — как сносит крышу при возрастном кризисе в пубертатном периоде и у 50+? Вспомнила? ...Может ли быть, что Максиму нравится она, молодая, вся такая э п а т а ж н а я, и у него затмило разум — и он хочет снимать ее кино...

Ох. Это у меня затмило разум, это мне приходят в голову д и к и е мысли: лучше, если он мне изменит в общепринятом смысле, чем будет снимать по ее сценарию, не по моему, не по моему...

Лучше бы он мне изменил в общепринятом смысле. Тогда бы у меня так не горело все внутри: как будто я поле и кто-то бросил на меня горящую спичку.

- Конфет «Вишня в шоколаде» — все, что были в коробке, тоже 20 (съела прямо в кровати, когда Максим заснул).
- Сигарет — 3.
- Ненавидящих взглядов на спящего Максима — 1.
- Еще одна сигарета, и все.
- Чувство вины — можете себе представить.

ГЛАВА ПЯТАЯ
Говорит Германия

ПОУЧЕНИЕ. Если у вас сильное чувство вины, скорее спите. Спите, и вам будет сон, во сне указание. Если не было сна, ждите другого указания.

Мне был сон! Во сне я была в темном платье до полу, с часами на цепочке, с пучком на голове и лучащимся мудрым взглядом.

Часы на цепочке уже были откровенным указанием, ну а пучок все прояснил окончательно.

Еще не проснувшись, я бросилась в Интернет и уже через несколько минут поняла: создание школы, работающей по моей оригинальной методике, требует образовательной лицензии. От слов «лицензия» и «методика» я показалась себе хоть и в пижаме, но очень бизнес-продвинутой, очень приступившей к бизнесу.

Почему мой сон — платье до полу, часы и пучок на голове — означали, что мне нужно открыть школу? Да ведь это совершенно ясно!

Вспомните свое дореволюционное прошлое: классную даму, директрису гимназии — они именно так и выглядели. Я не ошиблась, когда сказала «свое». Когда я девочкой читала о гимназистках, институтках, пепиньерках, классных дамах, я как будто была там, делала книксен, переговаривалась ночами в дортуарах... В общем, это мое прошлое тоже.

Я всю жизнь мечтала быть в длинном платье, с часами на цепочке — директором школы. Не советской школы номер 524 Московского района, а моей школы, где на уроках читают «Илиаду», на переменах Гаспарова, где учительница не крашеная блондинка в перекошенных капроновых чулках и не говорит: «Коробова, не смотри в окно! Смотри на меня, как баран на новые ворота». А что на нее смотреть, как баран? Крашеная блондинка с растрепанной кичкой, думаю, вы представляете.

Вот и пришло время исполниться моей мечте! Питерская старушка с вечным вопросом в глазах «как попасть в филармонию бесплатно», в образ которой я вжилась, распрямилась, наполнилась довольством и важностью, как шарик воздухом, оделась в платье до полу, нацепила часы на цепочке.

Пришло время исполниться моей мечте. Школа, лицензия.

Но при первом же клике на «образовательная лицензия» выяснилось: получить образовательную лицензию на школу, работающую по моей оригинальной методике, которую я еще не придумала, практически невозможно. На получение лицензии нужно положить жизнь. К тому же требуется разрешение санэпидстанции (кроме СЭС есть еще противопожарная безопасность). Так далеко мои бизнес-планы не заходят, у меня есть и другие дела, например нужно придумать мою оригинальную методику.

Лицензия делает мою бизнес-идею неперспективной. Без лицензии можно учить только малышей: для обучения детей детсадовского возраста образовательная лицензия не требуется. Конечно, не требуется, чему их там учить-то — петь и плясать у елочки... Не то чтобы я не люблю детей детсадовского возраста, напротив, очень люблю, но только своих. А чужих — нет, не люблю: чужие дети плачут, не умеют пользоваться туалетом, дерутся, падают, отнимают друг у друга формочки. Я бы не хотела учить их в своей школе...

Что же делать?

Люди, сталкиваясь с препятствиями (закон, обстоятельства, другие люди), ведут себя по-разному. Я знаю таких, кто будет долбить до получения результата. Это хорошая черта, у Максима она есть. Но часто бывает, что когда после жутких мытарств результат получен, он уже потерял смысл и никому не нужен. Особенно часто эта черта у Максима проявляется по хозяйству: например, Надя хочет утром испечь оладьи и попросит его купить кефир, он обойдет все магазины в округе, чтобы найти самый свежий, — а когда принесет через час, Надя скажет «нет уж, никаких оладий, мне пора стирать». Недавно она попросила его укрепить полку в шкафу... Полка укреплена, но шкаф лежит в руинах. В работе он тоже так: решил снимать по ее сценарию — и все, ни за что не откажется.

Я знаю тех, кто ни за что не откажется от своей идеи (Максим), знаю и тех, кто мгновенно начинают кружить вокруг новой идеи, затем вокруг еще одной: эти люди (Надя), начав с идеи оладий, могут переметнуться к стирке, от стирки к макаронам по-флотски, от макарон к бефстроганов. Иногда у них случайно получаются бефстроганов, но чаще им что-то мешает. Не-ет, это не я! Я придерживаюсь оладий, то есть своих начальных планов.

Я очень предана идее школы, я по-настоящему хочу осуществить именно эту идею — платье, часы, пучок, мудрый взгляд. Для пучка у меня уже есть черная бархатная лента.

Я предана идее школы, но в меру.

Зачем мне тратить время и силы на получение лицензии, если я не до конца уверена, что это в итоге будет именно школа, а не совсем другой бизнес? Конечно, я надеюсь, что со школой все получится, ведь как сценарист я привыкла иметь дело с придуманными мирами. Мне кажется, что настоящий мир вокруг меня тоже пластилиновый, его можно слепить, как мне надо.

Но вдруг нельзя слепить? Вдруг меня замучает СЭС, противопожарная безопасность, налоговая инспекция? И я скажу: «В этой стране нельзя заниматься бизнесом, ну их совсем, это длинное платье и часы»?

В этом случае мне будет безумно жаль, что я столько времени потратила на получение лицензии, которую теперь что — выбросить? Платье-то можно немного обрезать и носить, а образовательную лицензию нельзя немного обрезать и носить.

И продать образовательную лицензию по объявлению нельзя... Я так думаю.

Я решила: не буду получать образовательную лицензию. Это не предательство своей идеи, идеалов и прочего. Я ведь еще только обдумываю бизнес.

Мне кажется, если на стадии обдумывания бизнеса нас подкосило что-то большое, большее, чем мы сами (трудно получить лицензию или под нашу СуперИдею не дают кредит), нужно походить вокруг нашей СуперИдеи маленькими шагами в разные стороны, наклонив голову и прислушиваясь, — не пискнет ли что-то под ногами.

Я походила вокруг моей СуперИдеи и услышала писк: пи-пи-пи, в европейских странах дети идут в школу с шести лет.

И это правильно: шестилетний ребенок готов учиться, в игре и в движении. А у нас неправильно: шестилетний ребенок скучает в детском саду.

Это вечный вопрос хороших родителей — что делать с шестилеткой? (Помните: «Хоботов, для детсада ты слишком громоздок»? Вот именно.) Для детсада он уже слишком большой и умный, но отдавать его в школу с шести лет жалко... А в семь лет малыш попадает в первый класс: жестокое испытание для малышей, не готовых к тому, чтобы просидеть урок, затем еще урок, смирно сложив руки на парте! Что же делать с шестилеткой?

А-а-а! Вот именно! Вести ко мне, в мою школу!

Я — настоящий предприниматель, вот огромная коммерческая ценность моей идеи: мой продукт отвечает на запрос миллионов!

На запрос сотен тысяч точно отвечает. Успех должен быть потрясающий.

И образовательную лицензию получать не нужно. И сценарии писать не нужно. От которых отказываются, потому что мне 50. Ну, разве не ура?

А директору школы — хорошо, что 50. Он тогда вызывает доверие у родителей и учеников. Пожалуй, ученикам все-таки наплевать, сколько лет директору, но родители любят директоров постарше.

Я поговорила по телефону со всеми, кто смог поговорить со мной (не все утром ведут бизнес в кровати, как я, некоторые работают на рабочих местах).

— Послушай-послушай, в моей школе будет так: мы разговариваем с детьми, читаем Шекспира, Диккенса, Томаса Гарди, Льюиса Кэрролла, Теккерея и — незаметно — отбираем самых ярких, самых талантливых. Отобранные дети приходят к нам на целый день. В школу. ...И у нас!!! О-о!.. Мы читаем! Обсуждаем! Но не только. Послушай-послушай, в этом идея: у нас есть все, что нужно талантливым детям! Математика: не счет до десяти, а математика для одаренных — Перельман и все такое. Математика обязательно, потому что царица всех наук... Логика!

— Понятно.

— Правда, понятно? А то я могу повторить. ...А почему ты ничего не спрашиваешь про развитие вербального интеллекта? Ты не спрашиваешь, а я тебе расскажу: у нас будет цикл лекций-игр. Они будут называться «Я думаю, что». Лектор-игрун будет обсуждать заявленную тему с детьми, и даже самые застенчивые не останутся в стороне. Примерные темы, которые будут обсуждаться: «Я и другие», «Как быть кроликом»... Как почему кроликом? Как откуда я знаю, что им нужно преподавать? Как где я возьму лучших преподавателей? Если ты не понимаешь, при чем здесь кролик, я не буду объяснять... Потому что ребенку нужно уметь почувствовать себя другим. Нет, не геем, а кроликом. ...Театр? К о н е ч н о, у нас будет театр... НУ ЧТО? ГЕНИАЛЬНО?

Нет, ну разве не гениально?

Преподаватели, лучшие в городе, все они мои друзья. Платить я буду хорошо, чего бы им не работать у меня? («Работать у м е н я» звучит волнующе, как «первый поцелуй».)

Дети будут хорошие, к нам ведь придут хорошие родители? Хорошие родители приведут хороших детей. Это будет такое прекрасное объединение единомышленников — прекрасных родителей прекрасных детей и прекрасных учителей в мирс, где... Ага. В мире, где.

На самом деле мой проект имеет большой социальный смысл: в моей школе будет формироваться настоящая петербургская элита. А где же еще?

Раньше ведь как было? У детей из хороших семей (они становились элитой) с детства формировался свой круг. У дворян само собой, и после революции это еще существовало, до самой войны: одни и те же бонны водили детей в домашние группы, там танцы, манеры, немецкий язык, — старались держаться вместе, сохранить свой круг... Ну, а после войны этого уже, конечно, не было. Но даже когда мы росли, в 70-х, все равно немного было: Эрмитажный кружок, английский в Доме ученых, детские дни рождения для своих... А сейчас все. Нужно заново создавать. Вот мы и будем — школа для своих, с нас начнется формирование питерской интеллектуальной элиты (не в детском же центре «Мусипусечка» ей формироваться), с нами Россия воспрянет...

— А сколько это будет стоить?

...Вот люди, нет, чтобы поговорить со мной о приятном: о Шекспире, Теккерее, Диккенсе, «Алисе в Стране Чудес», «Хрониках Нарнии», о том, что у нас будет параллельный курс в Эрмитаже «Читаем книгу — смотрим картину»... Нет, «ны». Картины. На библейские сюжеты в Эрмитаже не «на», а «ны».

Те, кому не удалось сослаться на срочные дела (пациент с острой болью, звонок на урок, летучка на заводе, переговоры, другое), успели задать мне два неприятных вопроса (и это вместо того, чтобы порадоваться, близкие люди называются) ...Нет, три.

Три неприятных вопроса:

Сколько будет стоить обучение в моей школе?

Как я выпру из своей школы неярких, неталантливых детей?

Арендовала ли я помещение для школы?

Если человеку одновременно задают несколько вопросов о его бизнесе, он отвечает на самый безопасный. Как я выпру неподходящих детей? Да элементарно: хочешь сохранить что-то в секрете, не говори никому. Ни-ко-му, без всяких исключений. Я никому не скажу, что наш вводный курс на самом деле отбор одаренных детей.

Но ведь родители одаренных детей узнают, что мы отобрали их детей? Что они яркие и талантливые? Они не станут радоваться молча: любимое занятие родителей — хвастаться детьми так, чтобы все слышали. Это же родители!

Мы с Максимом один раз поссорились из-за наших дочерей: не то чтобы мы впрямую выясняли, чья дочь красивей и умней и каждый кричал «моя, моя!», но что-то вроде того. Глупо. Все равно что обсуждать родителей: каждый считает, что его мама вкуснее готовит, а папа сильней в математике. Но та ссора нас с Максимом многому научила: он считает, что его дочь красивей и умней, а я — что моя (что правда), но мы никогда об этом не говорим.

Тогда так: родители неталантливых детей сами поймут, что дети не тянут (не решили логическую задачу, им нечего сказать о Диккенсе), и... Нет. Ни один родитель никогда не признает, что его ребенок не тянет: второе любимое занятие родителей — склочничать, уверяя, что к их детям придираются. Тем более теперь есть социальные сети: каждый дурак может написать ВКонтакте или в Фейсбуке, что его Мусипусечка гений, а мы дураки.

Тогда так: неталантливые дети сами не захотят ходить в нашу школу, потому что мы будем щипать их на уроках.

Кто бы мог подумать, что в бизнесе спотыкаешься буквально о первый же вопрос. ...Ну, хорошо, как выпереть из моей школы неталантливых, я подумаю потом.

А вот о стоимости обучения и аренде помещения для школы я тоже подумаю потом.

Позвонила Максиму. Хотела сказать, что я придумала школу. Я всегда хочу сразу же разделить с ним радость. Сказала:

— Внимание, внимание, говорит Германия...

— Что?

— Сегодня под мостом поймали Гитлера с хвостом, — сообщила я.

Максим знает, что я всегда издали подхожу к тому, чтобы сообщить новость. Почему он тогда быстро сказал: «Извини, я сейчас очень занят»? Так говорят глупой жене, надоедливой жене, дурацкой жене, которая сидит дома без дела и названивает мужу на студию, где проходит кастинг. На вторые роли.

Но вообще-то мы всегда сначала обсуждали актеров на главные роли, а когда Максим их утверждал, тогда уж и кастинг. Так правильно делать, потому что типажи на вторые роли подбираются под актеров на главные роли. И я не понимаю, почему на этот раз все делается наперекосяк, — может быть, она хочет быстрее протолкнуть каких-то своих подружек? А Максим ни в чем не может ей отказать?

Между прочим, у меня на студии есть друзья. Верные друзья.

Они мне расскажут, как прошел кастинг и вообще.

ИТОГ ДНЯ:

• Роскошная бизнес-идея — одна.
• Мыслей о том, что я ничего не стою — ноль. Ура!

- Мыслей о том, что я стою миллион долларов, — 1 000 000.
- Мыслей о франшизе моего образовательного бизнеса по всей стране — 153.

И за границей, где родители тоже хотят, чтобы дети научились быстро читать по-английски.

Израиль (лучше в Тель-Авиве, в Иерусалиме тоже можно), Нью-Йорк, Рига, Берлин.

Москва! Как я могла забыть про Москву?! Москва — это золотое дно!

- Сигарет — 19 (успешному бизнесмену не возбраняется время от времени выкурить сигаретку, поэтому чувства вины нет!).

ГЛАВА ШЕСТАЯ
Жадина

Человек вправе немного погордиться своим успехом, не правда ли?

Меня ждет потрясающий коммерческий успех. Откуда я это знала?

Потому что внутри меня было такое возбуждение, мне было так интересно, что просто ух! А когда так интересно, что просто ух!, тогда бывает коммерческий успех. У нас всегда так было: когда нам с Максимом безумно интересно обсуждать наших родственников (героев сериала), то будут высокие рейтинги. А когда нет, то нет.

Миллионы, меня ждут миллионы, я в этом не сомневалась. А я хочу денег!

Денег хотеть не стыдно. Наоборот. Никто не открывает школу из любви к чужим детям, или сценарные курсы из любви к чужим сценаристам, или литературную школу из любви к чужим графоманам. Все знают, что даже прекрасные стихи часто рождались из желания заработать на хлеб насущный. Вопрос в том, чтобы делать то, что ты страстно любишь: любовь к тому, что делаешь, и желание зарабатывать — вот что варится в колбе, где в итоге сварится Успех. Почему сварится? Ну, в общем, меня ждет успех.

Тем более кризис. В кризис мой Успех будет Еще Успешней! В кризис и деньги кажутся важнее.

Вот мысль, с которой я начну свой мировой бизнес-курс «Как вы достигли такого сумасшедшего успеха»... Можно и книжку потом издать, и небольшое документальное кино сделать...

Так вот, мысль: «Не бывает хороших идей в принципе: идея должна быть придумана вовремя и в правильном месте».

Я задумалась о примерах Успеха в моем окружении: в окружении меня пять (5!) магазинов русских дизайнеров и только что открылся шестой. Одежда российских дизайнеров интересней, чем скучная Max Mara или скромная Burberry и даже Marni. За 6000 (меньше ста евро) можно купить черную кривую-косую кофту со швами наружу, или ярко-зеленый плюшевый плащ типа «плащ-палатка», или свитер, отделанный рваным кружевом... При том, что глупые Max Mara, Burberry и Marni стоят много дороже. А любая черная кривая-косая дизайнерская вещь за границей стоит не меньше четырехсот евро, а выглядит не лучше нашей!.. Идея российской черно-белой дизайнерской одежды («мы не хуже сошьем —

что у нас рук, что ли, нет») придумана в правильном месте: одежда продается рядом с моим домом.

Или вот еще хорошая идея в кризис: открыть на Фонтанке концептуальную столовку здоровой еды: в кризис люди хотят есть дешево, но здоровую еду. Потому что в кризис есть жирное и жареное — это уж слишком.

Зинаида-олигарх сказала: «В кризис продаются еда и дети».

Моя идея придумана в о в р е м я: во время кризиса люди больше думают об образовании детей. В тучные годы возят детей в Диснейленд, а в кризис спохватываются и хотят как-то научить.

Кстати, преимущество моего бизнеса в том, что это не только постоянный источник дохода, но и неиссякающий. Дети-то не иссякают.

Моя идея отвечает тренду: импортозамещение.

На первый взгляд импортозамещение не имеет отношения к моему бизнесу, но на самом деле имеет. Вместо дорогостоящих школ за границей — Max Mara или Burberry — дети будут учиться дома — у моих лучших питерских преподавателей. ...Я оговорилась: школы Max Mara и Burberry — это оговорка по Фрейду, я слишком много думаю об одежде...

Но в любом случае, у нас в Питере лучшее образование, только нужно знать, где именно. А я знаю, где. Мои друзья-математики в два счета вырастят нового Перельмана, а друзья-филологи — нового Гаспарова.

В сущности, мою идею можно считать идеей возрождения России.

Между тем неприятные нетактичные вопросы близких друзей продолжались.

— У тебя будет ИП или ООО?

— А как ты будешь принимать деньги, при помощи кассового аппарата или приходно-расходных ордеров?

Если бы м н е рассказали о такой гениальной идее, я бы сначала повосхищалась, а не огорошила бы человека конкретными вопросами: ИП, ОКВЭД, ООО, ордер... Не вынуждала бы человека отвечать на мои вопросы искусственным голосом на тон выше: «Ну, я...» и «Ну, я думаю...». Понятно же, что я прежде думаю о возрождении России, а потом как принимать деньги.

На самом деле ответы на все вопросы находятся мгновенно, и можно даже не стараться формулировать вопрос «грамотно и красиво», нас ведь никто не проверяет, можно просто написать в поисковике: «Как я буду принимать деньги?»

И вот:

«Есть несколько законных способов принять наличную выручку без использования ККМ, которые мы хотим вам предложить. Одним из них является прием выручки по договору между двумя физическими лицами. Оплату за оказание услуг (выполнение работ) сотрудник будет принимать сам... деньги берите в руки только после того, как клиент подпишет два экземпляра договора. ...Если данный клиент обернулся проверяющим и сообщил вам о проверочной закупке, не нервничайте и ведите себя спокойно. ...Если все хорошо и клиент не обернулся проверяющим, не спешите выкидывать ваш экземпляр договора. Положите его в надежное место, и пусть он полежит какое-то время. Мало ли что может случиться».

Ух ты, прямо сцена из триллера: клиент три раза стукнется об землю и обернется проверяющим...

Что мне понятно:

— Для приема денег подойдет моя голубая коробочка в форме книги, клиенты (родители, бабушка) будут класть туда деньги (жаль, что не евро и доллары).

— Если родители (бабушка) обернутся проверяющим, не отдавать им деньги обратно.

— Все это нужно делать без использования ККМ.

Что мне не понятно:

— Что такое ККМ.

Но зачем мне это знать?.. Сказано же «без использования ККМ».

Так можно узнать обо всем. По-моему, не стоит бросаться к юристам, платить за простые сведения, которые мы сами можем найти в один клик и понять, пользуясь лишь собственным здравым смыслом.

По-моему, у женщин в бизнесе есть большое преимущество: они не станут тратить время на ненужное.

По-моему, мужчины преувеличивают хлопоты по открытию бизнеса: многозначительно хмурят брови, сжимают губы, недосыпают. Открытие бизнеса ничем не отличается от изучения все равно чего: узнаешь одно, потом другое.

Вот, к примеру, вопрос — ИП или ООО — решить легко, потому что:

— ИП может тратить свой доход сразу и как хочет: получив доход, ИП может сразу пойти в бутик российских дизайнеров и приобрести там хоть платье, хоть брюки. Это плюс.

— ООО не сразу сможет купить платье, нужно снять деньги с расчетного счета и отразить покупку платья в бухучете. Бухучет, именно так.

— ИП — нет бухучета, ха-ха-ха! Плюс!

— ИП платит налог 6 процентов (зачем нам знать, сколько платит ООО, достаточно знать, что больше). Это плюс. Мы же хотим платить меньше?

— ИП отвечает всем своим имуществом при неисполнении обязательств. Это минус.

— ООО обязано ежеквартально подавать РСВ-1, 4-ФСС, 2-НДФЛ. А у ИП нет ПФР и ФСС. По-моему, лучше не скажешь.

У меня будет ИП.

Мне нравится называться индивидуальным предпринимателем (ОКВЭД 80.10.3 дополнитель-

ное образование детей, или 93.05 персональные услуги, или 92.51 клубная деятельность).

Я лентяйка и жадина: люблю, чтобы без этих
вот ФСС, НДФЛ и чтобы налоги были поменьше.
А мне — мне! — чтобы было побольше. Лентяйка
и Жадина — это одна часть моей личности, а другая — Отличник.

И все это я изучила сама и решила сама: мне не
нужен юрист с умным напряженным взглядом за сто
долларов в минуту.

ПОУЧЕНИЕ. Зачем нам лишние знания об этих
ИПКПБРРР?

Нам нужны знания по мере надобности. Мера
надобности определяется нашим здравым смыслом. Не здравым смыслом наших близких. Максим
сказал бы мне (если бы я рассказала ему о том, что
открываю школу): «Сначала разберись во всем
п о д р о б н о, а потом открывай школу». Если бы я
рассказала ему, но я ему не скажу.

Лучше я еще раз скажу сама себе: «Меня ждет
успех, ждет успех...»

А почему меня ждет Успех?..

А потому, что у меня хорошая команда!

В любой книге по бизнесу написано: хорошая команда очень важна. Даже идея не так важна, как сра-
ботавшаяся команда единомышленников. Которая
у меня, безусловно, есть — команда, в которой каждый выполняет свою практическую и психологиче-
скую функцию: один выдвигает идею, другой аплоди-
рует, третий подвергает сомнению, а четвертый уже

залез в Интернет и провел анализ рынка. Тут у меня все в порядке. Моя команда — это я. Ну, а кто?..

Ну, а кто?.. Друзья заняты своими делами (никто из моих друзей-мужчин не видит себя в длинном платье с часами на шее, они тяготеют к более брутальному бизнесу).

Подруги? Если честно, я с ними не хочу. Я хочу, чтобы мой партнер слушался меня беспрекословно, а они не будут. Да и кому из моих подруг нужна школа? Никому.

Семейный бизнес не мой вариант (семейный бизнес бывает в других семьях, не в моей). У меня никого нет кроме меня. Я выдвигаю, аплодирую, подвергаю, залезаю и провожу анализ. Когда я говорю сама с собой (а я все время говорю сама с собой, часто вслух), это моя команда ведет бизнес.

И это вовсе не означает, что я сошла с ума и мои личности шизофренически беседуют друг с другом.

Однажды мне пришлось долго слушать, как соседка в автобусе беседует сама с собой: у нее было две личности, одну она пренебрежительно называла «Ну о чем с тобой говорить, Лидка-шваль» и «Да что ты понимаешь, Лидка-выпивоха», и вторая личность — «Лидия Сергеевна», мнением которой она дорожила. ...Нет, у нее было т р и личности: ведь есть еще и та, что третировала Лидку и уважительно прислушивалась к Лидии Сергеевне.

ПОУЧЕНИЕ. Беседуйте с самим собой. Внимательно выслушивайте свое мнение. Относитесь к себе с уважением: вы не Лидка, вы Лидия Сергеевна. Так и обращайтесь к себе — «Лидия Сергеевна».

Но знаете что? Не жалейте меня, что я одна. Мы были партнерами с Максимом, и чем это закончилось? Когда твой партнер от тебя уходит, когда ты становишься для него немодным, не в тренде, для бабулек, — это больно. Я лучше буду одна, чем вдруг опять услышу, что я не в тренде.

Да и некоторым в о з м о ж н о быть одним. Я вот так уверена, что я самая умная, что соображаю быстрей других (кроме Максима), что все придуманное мною гениально, а робко предложенное другими так себе (Максим не в счет) ...я так уверена в своей правоте, так нетерпима к другому мнению, так быстро раздражаюсь при непонимании (с Максимом так не было), что совершенно очевидно: я хорошая команда из себя самой и не надо никаких подруг.

ПОУЧЕНИЕ. Быть Очень Одиноким Бизнесменом тоже можно.

ИТОГ ДНЯ:

• Быть бизнесменом не так просто, как кажется. Вы не можете всегда быть бизнесменом. Это вопрос вдохновения. Делайте перерывы.
• Максимов, вовремя пришедших к ужину:
    — с цветами — ни одного,
    — без цветов — ни одного.

ГЛАВА СЕДЬМАЯ
Мои бывшие друзья

Это очень, очень горестный заголовок, но об этом потом.

ПОУЧЕНИЕ. Спрашивайте совета у всех, приставайте, надоедайте. И кто-то обязательно скажет вам волшебное слово.

Максим сказал мне волшебное слово: «Ты чего, совсем уже?!»

Я все-таки рассказала ему о школе. Привычка делиться с ним всем (кроме вишни в шоколаде) оказалась сильнее меня.

Я рассказывала Максиму о школе в сдержанно-деловом тоне: «Россия воспрянет! У меня будет формироваться будущая питерская элита! Математика! Древние языки! Все, что нужно будущей питерской элите!..» И вдруг услышала: «Ты чего, совсем уже?!» и... Мне показалось или я услышала странное слово «обед»?..

84

Требуюсь Я!

— Ты чего, совсем уже?! А обед? Будущая питерская элита не будет формироваться без обеда. У тебя — математика, языки... А обед?

...Обед. Молочный суп, котлета с пюре. И даже, не побоюсь этого слова, полдник. Кисель, запеканка.

А я и забыла, что детей нужно кормить. Я вообще часто забываю, что люди едят (имею в виду другие люди, о своем питании я помню). Как всякий жизнелюб и жизнеман, я люблю вкусную еду, но не люблю думать, что нужно чего-то там на рынок, чего-то там помидоры и телятина без косточки, чего-то там медленно помешивать на маленьком огне...

Я не от природы такая плохая, меня испортила жизнь. Когда 52 года живешь на Невском, жизнь тебя портит: в течение 40 лет (считаю с моих 12-ти) ко мне заходили по дороге — на минутку, выпить кофе, передохнуть, показать новое платье, сходить в туалет, пересидеть родителей с двойкой, рассерженного мужа со скалкой, сына с девушкой, внука с дружками... И что же мне 40 лет было всех кормить? Я привыкла: кто что принес, то и выпил и съел, привыкла делать вид, что до сих пор по-студенчески считаю главным беседу, а не еду. На самом деле хорошая еда важней, чем так себе беседа, а бывает такая беседа, что лучше любая еда, даже сардельки с макаронами.

И вот такой облом, такую подножку мне подставила жизнь — обед. Обед — это рынок, это повар

85

делает котлеты, это тарелки потом мыть. ...Дети поедят, потом все потянутся в туалет, как в самолете. Обед — это СЭС. О-о, Максим знает, куда метнуть стрелу!..

Чем хорош Максим, он знает мои слабые места, как свои. Знает, куда метнуть стрелу: в самое сердце моего бизнес-плана.

Услышав «Ты чего, совсем уже?!», я в ту же секунду отказалась от своей бизнес-идеи. ...Какая школа?! Не нужна мне школа. В школе ребенок проводит полдня, в школе ребенка надо кормить... Не нужно мне математики, языков, и логики тоже не нужно, лишь бы обед не варить.

Итак, облом...

«Жаль, ведь это так красиво: это будущая элита, возрождение России», — искушала меня одна из моих личностей, падкая на славу.

«Это понос и рвота. ...А если кто-то отравится котлетами с пюре?! Это понос и рвота. Врачи. Белые халаты по цепочке проходят в мою квартиру. Да, не спорю, красивая была идея выращивать питерскую элиту, но если у кого-то аллергия на котлеты? А если на пюре? Гадай потом, в котлетах дело или в пюре. Нет!» — твердо отвечала другая моя личность, понимающая, что слава — тьфу, мишура по сравнению с поносом и рвотой.

«Молодец ты, как я сама не подумала про понос и рвоту... А ты вот подумала, молодец», — причитала я.

Если одна ваша личность заставила вас провести столько времени во тьме заблуждений, то вы будете благодарны другой даже за малый признак интеллекта.

Облом.

...Но если подойти логически?

ПОУЧЕНИЕ (особенно мне дорогое). Если вдруг облом, подойдите логически.

Логика такая: не хочешь чего-то делать, не делай.

Не хочу кормить — не кормлю.

Кормить — нет!

НИКАКОЙ ЕДЫ ВООБЩЕ. Воду попьют, и хорошо.

Воду п р и н е с у т с собой.

Так и запишем в уставе моего образовательного учреждения: «Дети обязуются не есть» и «За понос не отвечаем». В договоре (будет же у меня договор на оказание образовательных услуг) еще раз мелкими буквами: «За понос ответственности не несем».

Тут вопрос в другом: сколько человек может прожить без пищи? Три часа, думаю, может.

Вот мы и подошли логически: тогда пусть моя школа длится три часа. Пришли, поучились три часа и ушли голодные.

...Но за три часа невозможно дать детям все, что я хочу: математику, логику, литературу и английский — это будет не элита, а туфта! А ведь я еще хотела и древние языки, и изучать Библию, и после уроков сразу в Эрмитаж смотреть картины на библейские сюжеты. Если детей столько времени не кормить, они в Эрмитаже еду с натюрмортов сопрут. У Рубенса и малых голландцев.

Смотрите, это прямо «волк, коза и капуста»: «кормить» — нет и «не кормить» — нет.

На самом деле это ситуация, с которой я не сталкивалась прежде, чем начала вести свой бизнес: когда все нет. (Максим, припоминаю, говорил что-то такое: это нельзя и то нельзя, вот и крутись.) Очевидно, в бизнесе всегда так: волк, коза и капуста, и надо крутиться, как-то их перевезти.

Но знаете что? Если не можешь перевезти волка, козу и капусту, пусть кто-то кого-то сожрет, и черт с ним. Нужно чем-то быстро пожертвовать.

ПОУЧЕНИЕ. Если нужно чем-то жертвовать, то нужно чем-то быстро жертвовать.

Я быстро пожертвовала математикой, логикой, древними языками, изучением Библии, картинами на библейские сюжеты и Эрмитажем в целом.

К тому же вот секрет по-настоящему большого успеха школы с франшизой по всей стране: основатель школы должен заниматься своим Очень Любимым Делом.

А я не очень-то люблю математику, то есть высшую математику люблю за красоту, но умножить дробь на дробь не люблю или найти, сколько будет 25 процентов от тридцати. И к логике равнодушна.

По-настоящему из всего этого я люблю только читать — на английском. Я вообще люблю только читать английские книги на английском. Это моя страсть. У меня целый шкаф книг на английском — там все-все! Я люблю держать в руках Шекспира, Диккенса, Агату Кристи, Конан Дойла, Джейн Остин, люблю листать, гладить, нюхать.

Из этого следует: у меня будет не какая-то там школа для питерской элиты, а школа чтения на английском языке. Английская литература на английском — вот это будет франшиза по всей стране и всему миру, вот это да!

ПОУЧЕНИЕ. Переприми решение! Переубеди всех. Перепринятое решение лучше.

Я перешла на «ты» от волнения: это очень важное правило. Убеди других, убеди, что твое новое лучше, чем твое старое! Убеди всех — убеди всех — убеди, что плюсов перепринятого решения не видит только глупец.

Первой, кого я переубедила в плюсах перепринятого решения, была Надя.

Надя стояла у плиты, с отрешенным видом помешивала суп, я ходила мимо нее туда-сюда, туда-сюда по кухне и говорила:

— У меня будет эксклюзивное предложение: школ английского чтения в городе на Неве нет — ни одной! А центров развития детей — до фига.

Зачем мне с ними конкурировать? Пока докажешь, что моя — для элиты, пройдет время, а время — это упущенная выгода!..

Читать по-английски быстро, бегло, как на родном языке, означает интегрироваться в мировую культуру, разве нет?

Школу английского чтения можно назвать студией, это модно.

Мне не обязательно быть в платье до полу, с часами на цепочке. Я могу быть в чем-то продвинутом, от российских дизайнеров.

Вся информация, с которой имеют дело ученые, — на английском, уметь ориентироваться в огромных массивах информации — это залог успеха в науке, в бизнесе, во всех сферах деятельности.

Прямо сейчас пойду и подберу себе что-нибудь черно-белое со швами наружу. Имидж владельца студии — одна из основных задач.

Надя сказала, что ни за что не отдала бы своих внуков в какую-то мою левую школу с якобы лучшими преподавателями города, а вот в школу английского чтения отдала бы, если недорого.

А у меня будет недорого. То есть дорого, но для Надиных внуков бесплатно.

И вот еще что: я считала, что моя школа будет востребована в русскоязычном пространстве за границей, это типичный пример самообмана. На фига эмигрантам школа на русском языке? А вот английская школа чтения нужна за границей всем. И взрослым тоже. Посмотрим, может быть, и школу для взрослых эмигрантов откроем. Есть же школы музыки для взрослых.

Надя сказала, что я придумала очень нужное важное дело, гораздо нужнее, чем «какая-то там элита, кому она нужна, черт с ней совсем». Что научить ребенка читать по-русски может каждый родитель, если хоть немного оторвет зад от дивана. А вот по-английски никто не может помочь.

Вот именно, никто. А я могу помочь. В школе, конечно, учат читать. Но ребенок — никогда! — не читает по-английски сам, не для уроков, а для радости и счастья.

Взять для примера меня. В моем детстве каждый день происходило ужасное. Я приходила из школы и пряталась за диваном, откуда меня выволакивал папа, приволакивал в кабинет и настраивал на мучение: усаживал меня в кресло с Диккенсом по-английски и напряженным голосом говорил: «Сначала ты переведешь десять страниц, а потом делай что хочешь, хоть на голове ходи». Через час наступала мамина очередь: она тоже настраивалась на мучение и с напряженным лицом спрашивала: «Ну, сколько перевела? Хотя бы расскажи, о чем там было?» Выяснялось, что я не знаю. Все кричали... Мама кричала: «А-а-а! Я в твоем возрасте!..», папа: «Кто из тебя вырастет?! Я не вижу в тебе себя!» (дело в том, что они оба переводчики), и тут входил дед с маминой стороны (переводчик Диккенса), шлепал меня книгой по попе и кричал: «А-а-а! Я тебя заставлю Диккенса любить!».

А как, по-вашему, я могла перевести десять страниц за час, если не умела читать? То есть умела, для третьего класса английской школы неплохо, но не так, чтобы вот прямо взять и полюбить десять страниц Диккенса.

И вот однажды им пришла в голову прекрасная в своей простоте педагогическая мысль: они меня заперли.

Ага, заперли на шесть часов. В кабинете. Предварительно привязали к креслу. Ну, не крепко, просто зафиксировали. Сейчас я бы могла их засудить за жестокое обращение с ребенком. И не сомневайтесь, на коленях у меня лежал Диккенс. «Крошка Доррит».

Когда через шесть часов меня открыли, «Крошка Доррит» была прочитана, рядом со мной лежал лист бумаги, на листе бумаги аккуратно выписано, чтобы не запутаться: «Мистер Доррит, миссис Кленнем, Тит Полип, мистер Миглз, Генри Гоуэн, Дэниел Дойс...» Вот это я понимаю воспитание.

А Надиных внуков некому запереть, Надины внуки не могут совершить этот волшебный прыжок к чтению запоем. И что же, самое большое на свете счастье — Дэвид Копперфилд, Шерлок Холмс, Братец Кролик — будет им недоступно?

Ну нет! Читающий ребенок защищен и счастлив, и я заставлю детей быть счастливыми!

На месте родителей я заплатила бы сколько угодно за то, что ребенку подарили целый мир... Сколько я бы за это заплатила?

Теперь, когда бизнес-идея обрела финальные очертания, пришло время подумать о ценовой политике.

Также пришло время составить бизнес-план: требования к помещению, персонал, налоговый статус, кредит.

Кстати, о налогах: прочитала в Интернете, что для проекта социальной значимости (как мой) ставка по кредиту уменьшается в соответствии с Приказом Минэкономразвития России от 01.07.2014 № 411.

Вот мой бизнес-план:

— консервы Applows, тунец (заказать) — давать два раза в день по полбанки;
— сухой корм Royal Canin (34 номер) — должен стоять постоянно и вода;
— молочное: сливки 10-процентные «Домик в деревне» (40 г в день), сметана нежирная (молоко НЕЛЬЗЯ), творог «Тема» — один раз в день;
— мисочки — 3—4 штуки;
— туалет с бортиками без решетки;
— наполнитель «Экстрим классик без запаха»;
— савочек;

— переноска Clipper (лежачок положить вовнутрь);

— игрушки (шарики);

— витамины Babycat;

— когтеточка (фирма «Пушок»).

А на обратной стороне:

Что касается кредитов, не хочу вкладывать в бизнес ни рубля — ничего кроме себя.

ИТОГ ДНЯ:

• Списков «Для кота» — один.

Конечно, при рассмотрении такого бизнес-плана возникают вопросы: почему коту молоко НЕЛЬЗЯ? Почему сАвочек?

Почему список «Для кота», написанный мною под диктовку заводчицы, у которой я купила британского кота серо-голубого, 4 месяца, был длинный, а бизнес-план состоит из одной фразы? Почему бы не привлечь крупный стартовый капитал? Почему «не хочу вкладывать ни рубля»?

...Почему? Да потому, что у человека должны быть принципы.

Это мой принцип: ни рубля. Я жадина.

• Котов британских серо-голубых, 4-месячных — один.

• Бывших друзей — 9.

Я как-то видела картинку: люди притаились

кто где, кто на ветке дерева, кто в дупле... Картинка называлась «Мои бывшие друзья». Я смотрела на картинку и думала, какие мы разные с этим художником люди. Художник, автор картины, не слишком грустит о своих бывших друзьях (во всяком случае, мне так показалось), думает: «Эти люди были моими друзьями, а теперь они мне не друзья, ну и пусть живут сами по себе, а я буду сам по себе». А меня очень пугает вот это — б ы в ш и е друзья.

Но сейчас один мой старый друг (Алла) и девять новых внезапно стали моими бывшими друзьями.

Дело вот в чем.

Алла (а еще моя подруга!) сказала:

— Не знаю, почему ты обижаешься на Максима. Ты же знаешь, какой он: всегда держит нос по ветру, делает то, что хорошо идет. Всегда снимает то, что м о ж н о. Сейчас мыло не в моде, сейчас м о ж - н о про гадости, вот он и хочет снимать про гадости. Ну, и заодно хочет попробовать что-то новое, талантливое. Может, ее сценарий лучше. Не обижайся, я просто объективна, объективно ты не права.

Нет, ну вы видели такое! Ей бы диалоги писать! Сказать столько обидного сразу!

Про Максима обидно, хотя отчасти это правда. Но он же не борец с ветряными мельницами, он продюсер, снимает сериалы...

Про меня обидно, зачем мне ее объективность, от друзей все же ждешь не объективности — «объективно ты не права», а чтобы встали за тебя горой — «ты права, и все!». И еще между делом назвала меня земляным червяком: меня — старой и мои сериалы мылом. А ту, другую, — н о в о й, талантливой. Ну-ну... Ну, я такого не ожидала! От лучшей подруги!

Я делю своих друзей по интеллекту — на новых и старых. Новые, как правило, культурной профессии, с высоким интеллектом, старые друзья не знаю, глупы или умны (откуда мне знать за 30—40 лет дружбы), они как я — просто есть. Остается считать, что Алла дура.

Но... она ведь не знает, как мне больно от этой истории, когда мне предпочли другую. Если бы она знала, не сказала бы. Наверное, ей показалось бы, что я делаю из мухи слона: что Пашкина вторая семья — это слон, а выкинуть меня с моим сценарием — это муха.

Ладно, Аллу я прощу, — у нее слон. А вот редакторов со студии, включая главного редактора, и креативного продюсера, и секретаршу, — не прощу. Все они (девять человек) знают, что Максим выбрал не мой сценарий.

Хоть бы одна собака позвонила и сказала: «Аня, ты не горюй, все это преходяще, она на один сериал, а ты — лучшая». Ведь я с ними дружу, мы пьем кофе, сплетничаем. И ни одна собака из девяти не позвонила.

Хотя нет... одна собака позвонила. Сказала: «Не горюй, она на один сериал, а ты — лучшая», —

и это было еще хуже, как будто в мои страдания добавили каплю яда.

Когда все знают — это еще хуже. Когда тебя жалеют — это е щ е хуже.

Конечно, никто на студии не узнает, что я с ними со всеми больше не дружу, что в душе моей завяли незабудки: кофе и сплетни станут чисто формальными.

• Таким образом, бывших друзей — 9.

ГЛАВА ВОСЬМАЯ
Жадина-2

Идеальный предприниматель — человек целеустремленный и не жадный. Я имею в виду, ему не жалко денег на свой бизнес.

Это звучит странно, но нужно вдуматься. Максим, к примеру, по типу личности — предприниматель, он вкладывает в бизнес всего себя: мерзнет на льдине с удочкой, сидит в ресторанах (хотя у него колит, и больше всего он мечтает о Надиной каше), улыбается на скучных мероприятих, демонстративно радуется людям, которых не хотел бы знать... Но это бизнес. В его бизнесе отношения имеют значение: чтобы добыть деньги на кино (государственные деньги, которые мы с ним между собой называем «гознаки», или частные, которые мы называем «средства» с ударением на последнем слоге), нужно мерзнуть на льдине, сидеть в ресторанах, улыбаться... — поддерживать отношения.

Так вот, о жадности: в итоге от проекта получается прибыль (больше, меньше, иногда никакой, но в целом прибыль) — и тут встает вопрос, как потратить. Я бы на месте Максима потратила прибыль на новые платья и другое приятное, а он — нет. Он — на следующий проект. Новый проект всегда дороже предыдущего. Почему? Потому что продюсер не должен останавливаться на достигнутом, он должен двигаться дальше... Я бы не смогла быть продюсером из жадности.

Жадничает ли Зинаида-олигарх на бизнес, вот вопрос... Собственно говоря, я ей этот вопрос задала. Спросила, чего ей хочется, е щ е   б о л ь ш е одежды с модных показов и квартир в Каннах и в Ницце или развивать бизнес. Она сказала невежливо: «Ты чего, с дуба рухнула? Свой бизнес — это как наркотик. Как ты думаешь, чего хочет наркоман, одежды с модных показов или дозу?» О-о... Ну да, у нее там прирост производственных мощностей и прочее. Возможно, мне не подходит заниматься большим бизнесом.

Не все люди продюсеры и олигархи. Бывают люди по типу личности жадины. Жадина вкладывает деньги только в себя, а на бизнес жадине жалко. Сама идея вкладывать жадине чужда, жадине хочется, чтобы монетки звенели в кармане. Хочется взамен на монетки получать действительно стоящие вещи (ленты-кружево-ботинки, книги, концерты, путешествия), а не прирост производственных

99

мощностей. Прирост кажется жадине абстрактным и не имеющим отношения к нему лично. Никакого отношения вообще.

Потом вот еще что: кто любит риск, а кто нет, тоже важно. Кто способен на умеренный риск. Весь вопрос в том, что считать умеренным риском.

Максим не раз терял деньги, и случалось так, что Максим ничего не зарабатывал на неудачном проекте, случалось так, что проект не приносил прибыли, а инвесторам нужно было отдавать — но это случалось с л у ч а й н о. Максим никогда не рисковал намеренно. А Зинаида-олигарх на моей памяти несколько раз бросалась как в омут — куда не знаю, но у нее пропадали квартиры в Каннах и Ницце, и даже обедать она приходила к нам. Зинаида считает, что это умеренный риск. Она объясняла мне, почему пропали квартиры, банк забирает дом и нужно продать все шубы: это бизнес, на войне как на войне. Мне было жаль Зинаидиного дома, особенно жаль шуб, но я послушно кивала: «Я хоть и дура-баба, но понимаю: бизнес — это на войне как на войне».

Максим считает, что Зинаида сумасшедшая. Поэтому Зинаида — олигарх, а Максим просто предприниматель.

А вот жадины, они вообще боятся рисковать, им даже умеренный риск не нравится. Думаю, жадины никогда не берут кредиты — вот еще, плати потом!.. Не вкладывают в бизнес квартиры в Каннах или жилье своих детей. Предпочитают риску душевный покой. ...А что? Душевный покой тоже важно. Моя мама говорила жадине-мне «не ходи по темным улицам, не рискуй», жадина-я не ходила, не рисковала, и страх защищал жадину, хранил мое маленькое благополучие — и от этого у мамы был душевный покой. Считаю, мамин душевный покой — важная составляющая жизни.

Вот так я рассуждала... рассуждала и рассуждала... Не знала, что делать дальше, и тянула время, рассуждала о бизнесе.

ПОУЧЕНИЕ. Почему бы не посмотреть, что делают другие люди?

То, что я затеяла, называется стартап, и наверняка для стартапа есть правила.

Вот, пожалуйста, с первого клика «правила создания стартапа».

«Не приводите в свое дело родственников и друзей». Кто бы сомневался.

«Перед выпуском стартапа нужно обязательно провести анализ рынка». Нас держат за идиотов?.. Если мы собираемся шить шляпки, неужели у нас не найдется свободной минутки посмотреть в Интернете, какие шляпки уже шьют.

«Любой контентный стартап можно продвинуть, применив стратегию НЧ-продвижения». Вот тут я согласна. Все зависит от того, что такое в принципе НЧ-продвижение. И контентный стартап.

«Придерживайтесь этих пунктов, и все у вас получится».

Можно было бы узнать, что такое НЧ-продвижение. И к о н т е н т н ы й ли мой стартап. Но в правилах было сказано, с чего я должна начать: с оформления документов: ИП, ОКВЭД и так далее.

ПОУЧЕНИЕ. К черту правила.

К черту правила!

Я вдруг очень разозлилась: зачем мне эти глупые правила стартапов для малолеток, я и сама не идиот, у меня опыт семьи и жизни, опыт 90-х. Не то чтобы в 90-е я была бандитом, но все-таки 90-е годы — это был стартап. Так что я сама знаю, с чего начать.

Я сама знаю, с чего начать: с того, в чем мы хороши. То есть я, я хороша.

Мне очень нужно ощущение успеха. Максим меня бросил... Вот где он сейчас? Обсуждает с ней сценарий, обсуждает с ней актеров на главные роли?.. Максим мне изменил, Пашка предал Аллу (Алла в отчаянии и недоумении, потому что Пашка живет иллюзорной жизнью на два дома, благо что они рядом)...

Максим бросил меня, Пашка бросил Аллу, я бросила свою профессию, поэтому мне в моем новом деле очень-очень нужно ощущение успеха.

ПОУЧЕНИЕ. Всем нужно ощущение успеха.

Нет, правда: если у меня все время трудности? Если начать с ОКВЭД (Обалденный Кожно-Вэнерологический Диспансер, Осмотрительный Красивый Веселый Эгоистичный Дистрофик), то я что?

Правильно, я почувствую себя неумехой, дилетантом и «что я здесь вообще делаю?..». А также дурой, «нечего было и начинать» и «ничего у меня не получится». И тогда...

И тогда — все. Потухну, не успев разгореться. Нет, может быть, есть люди как кирпичи, огнеупорные. А я нет, если не получается, я быстро теряю интерес. В плохую минуту вообще способна все бросить.

Кроме всего прочего, зачем развивать в себе комплекс неполноценности? Начать с ОКВЭД как раз тот самый случай. Тем более, придумывать школу безумно интересно, а ОКВЭД — безумно неинтересно.

Оформить ИП можно потом, а прежде всего нужно придумать название. Я всегда придумывала названия перед тем, как начать писать. Название, как имя, определяет судьбу: как корабль назовешь, так он и поплывет.

Оказалось, назвать бизнес так же трудно, как назвать кота.

Ну, того самого кота, который пришел в мою жизнь одновременно с бизнесом. Мы назвали кота Матвеем, но звать стали Мотище и Обормотище. Как кота назовешь, так он и поплывет: кот царапался, кусался, наотмашь бил лапой невинного пуделя (а ведь пудель прожил с нами десять лет, а кот в доме новичок).

Был бы кот благородным и церемонным, если бы мы назвали его Лордом или Милордом, или курил бы кот сигары, если бы мы назвали его Черчиллем, вот о чем всем нам следует подумать.

Прежде я бы посоветовалась с Максимом, а теперь... Теперь я тоже посоветовалась с Максимом. Он настоящий профи в названиях, знает, как заставить зрителя включить телевизор, что звучит кинематографично.

Название английской школы чтения не обязательно должно заставить зрителя включить телевизор. И звучать кинематографично.

Максим сказал, что название любого бизнеса должно быть:

— короткое (тут он прав, чтобы легко говорить: «Ваши дети учились в X? О-о, скорей в X!»),

— кроткое (и тут он прав, к примеру, детский центр «Мусипусечка» жутко агрессивное название, так как настаивает на любви основателя бизнеса к детям, сю-сю-сю),

— оригинальное (он слишком многого от меня хочет: другие люди, открывшие бизнес раньше меня, уже использовали все слова во всех сочетаниях, даже «Культурный кот» какой-то умник уже придумал до меня, черт подери!),

— должно выражать хоть какую-то суть предлагаемой услуги (ну да, «Английская школа чтения без питания»).

Я постеснялась спросить Максима, включать ли в название мое имя. «Английская школа чтения Анны Коробовой» звучит нескромно. Но привлекательно.

Правильно было бы посоветоваться с Зинаидой-олигархом, но ее я тоже стесняюсь: слишком уж у нее крупный бизнес... Не хочу говорить ей о моей английской школе чтения, пока не развернусь как следует. Слишком уж у нее олигархические замашки. Посмотрит на меня с видом «ты, мелочь пузатая». Кому понравится, когда его считают мелочью пузатой, тем более в сложный, переходный период жизни.

Я посоветовалась с Надиным мужем, у него небольшой бизнес, такая многопрофильная фирма по всему, что когда-либо может понадобиться людям: установка решеток на окна для кошек, сиделки для больных, ремонты для здоровых, уничтожение моли, доставка обедов в офис. Секрет фирмы в том, что у него всего этого нет, но зато много родственников. Если у клиента моль, он звонит племяннику, тот придет и посыпет порошком, нужна сиделка — его сестра может с больным посидеть, нужны обеды в офис — жена брата быстро котлет навертит, да и Надя поможет... Я подумала, будет правильно посоветоваться с таким ловким человеком.

— Аня! Наши клиенты смогут прочитать о тебе в Википедии, это вызовет у наших клиентов доверие к тебе. Что ты не жук чихнул, а сценарист, — сказал Надин муж, предприниматель.

Мы с ним на «ты», а с Надей на «вы». Моя бабушка научила мою маму, а мама меня, что с теми, кто готовит тебе еду, нельзя быть на «ты». Это наш семейный секрет, я передам его своей дочери.

— Ты сказал н а ш и клиенты, — благодарно отозвалась я. Ну как же приятно, когда ваш собеседник воспринимает ваши интересы как свои, как это тонко, как по-дружески.

— Я сказал н а ш и клиенты? Да это я по привычке. Привык считать чужих клиентов потенциально своими. Иногда люди звонят, ошибаются номером, так я тут же: а у нас как раз все есть, может быть, предпочтете н а ш и услуги?

А-а... О-о. Поняла. Вот оно как в бизнесе-то, будем знать. Позвонит ему мой клиент, скажет: «Анна, сможете научить моего ребенка наслаждаться чтением Диккенса, чтобы сидел и читал, как ваш дедушка-переводчик?», а Надин муж ему вместо «Да это и не Аня вовсе» скажет: «Конечно, научим, чего там... А давайте мы вам решетки на окна, чтобы ребенок не сбежал, и моль изведем...» Вот оно как в бизнесе-то, каждый за себя.

— Клиент-то — раз и набрал тебя в поисковике, а там — раз, ты сценарист... клиент — раз и подумал «значит, не туфта»... Ты должна свое имя использовать, ну что ты как ребенок прямо!

Все во мне (природная скромность, интеллигентское желание анонимности) говорило «нет», а все другое во мне (тщеславие, потаенное желание видеть свое имя на каждом углу с портретом и подписью «любимая, обожаемая», желание утереть нос всем на студии) сказало «да».

Тем более что я собиралась придумать хорошее название, а не тривиальное вроде «Умничка», «Заинька» или «Дюймовочка». Мой любимый персонаж вовсе не Дюймовочка, а Крот: у него есть запасы.

Вот листок с вариантами названий. Сохранился всего один (кроме него есть еще списки названий в компьютере, айпаде и айфоне).

Английская школа чтения «Алиса», «Винни-Пух»
«Белый кролик»
«Мартовский заяц»
Школа «Шляпник»
Школа «АГАТА»
Школа «Джером»
Школа «Клапка»
Ну не Гарри Поттер же, черт побери!
А если Айрис?
Школа «Айрис Мердок»
Эмилия? Шарлотта? Бронте?
Дарси? Элизабет? Джейн?
Мэри П
А если «Шерлок»?
Английская школа чтения «Умный мышонок»

Школа чтения «Братец Кролик», школа чтения «И братец Лис»
Школа чтения Анны Коробовой «МАПА»

Все скажут, что это глупое назание, они не знают, что это первая книжка, которую я прочла. Там девочку спрашивали, кого она больше любит — маму или папу, и она отвечала — любит Мапу. Я ее понимаю: выбрать невозможно.

Идея! Нужно сугубо питерское слово — Корюшка, черт возьми!
Школа «Корюшка», «Аврора», «Пять углов», «Ленинград»
Английская школа «В Питере читать...»
Может быть, что-то модное из «Звездных войн»?
Студия «Магистр Йода»

Школа «Культурный код»
ААА! НАШЛА!!! АНГЛИЙСКАЯ ШКОЛА «Культурный кот». АААА!
«Культурный кот» уже есть.

Хорошо, пойдем от другого. Для кого эта школа? Для хороших детей из хороших семей, и что?
Школа «НЕ для всех»
Школа «Для своих»

ВОТ: Школа чтения «Пять плюс» — для тех, кому больше пяти, и оценка пять с плюсом. Гениально!

«Пять плюс» есть. По адресу: Коломенская, 16.

А если подойти с другой стороны: чтение вообще — для чего?

— для счастья — Школа «Счастье»

— чтобы расширять кругозор — Школа «Кругозор»

— чтобы понимать друг друга — Школа «Понимание». Тьфу!

— чтобы знать смысл — Школа «Смысл жизни». Похоже на секту.

— чтобы спрятаться в книги от ужасов жизни, если честно, это главное — Школа «Прятки». Ха-ха-ха. Школа «Найди меня». Ха-ха-ха.

— чтобы быть успешным — Школа «Успех». Бе-еее.

ООО! Идея! Название должно быть связано с едой! Читатель-то любит читать и есть.

Школа чтения Анны Коробовой «Бутерброд»

Школа «Хороший бутерброд», «Английский бутерброд»

«Мармелад»

«Пудинг»

«Книги-мармелад». Студия Анны Коробовой

Студия учения с увлечением «Диккенс и булочка»
Диккенс-конфета
Диккенс-кекс
Диккенс-зефир
Гуманитарная студия «Сэндвич»
Английская школа чтения «Сухари» (из черного хлеба)

Интересно, есть ли еще кто-то в мире, как я, — чтобы к каждой любимой книге была своя еда. Агата Кристи и бульон с рисом, Томас Гарди и эклер, Шекспир и курица. Это было в детстве! Не сейчас!

Сейчас в малой степени.

Какая еда к какой книге подходит, не буду писать, это самое интимное, что можно узнать о человеке.

Скажу одно: хлебные сухари подходят к литературе любого рода.

ЧЕРТ ПОДЕРРИ РРРР!

ПОУЧЕНИЕ. Надоедайте людям хуже горькой редьки.

Бизнес я придумала мгновенно, а название не могла придумать долго, до самого Нового года.

Приставала, конечно, ко всем. Надоедала всем: Наде, Зинаиде-олигарху, Алле... С Аллой мы разговаривали каждый день: она металась между «око за око» и «может быть, все-таки всем дружить». Из-за обилия участников драмы ее жизнь помимо ее воли превратилась в сериал, и в каждом разговоре она рассказывала мне содержание новой серии: приходил Пашка, требовал понимания, приходила новая жена с Пашкой, новая жена без Пашки, с детьми, без детей, приходили невестки, внуки, сыновья... Каждый день кто-то навещал Аллу с конфетами, фруктами, цветами... «Мне кажется, что я лежу в больнице», — сказала Алла.

— Зачем тебе эта школа? — скептически спросила Алла.

— Хочу немного спасти мир и много денег. Детей жалко: если я не вмешаюсь, никогда не полюбят Диккенса. Знаешь, что испытывает человек, глядя на английский текст, даже если он знает язык?

— Знаю. Тоску и страх, — уверенно сказала Алла. — А ты правда можешь сделать так, что чужие буковки станут родными? Тогда весь мир станет его. Получается, что судьба человека зависит от тебя.

О-о-о! От меня! Алла такая умная и тонкая, на Пашкином месте я бы ее не бросила.

— У тебя ведь какая-то особенная методика, расскажешь?

— Нет.

Я прямо почувствовала, как Алла сжалась от обиды там, у себя в Комарово.

— Прости, я неудачно выразилась. Я имела в виду: нет, у меня нет методики.

— ... Да, понятно. Знаешь, мне с тех пор, как это случилось, все время кажется, что все хотят меня обидеть. Что я ничего не стою, понимаешь?.. Что меня н у ж н о обидеть, потому что я теперь ничего не стою. Понимаешь?

Ну да, как не понять. Мне с тех пор, как это случилось, все время кажется, что меня н у ж н о обидеть, потому что я теперь ничего не стою.

— Ты стоишь, ты многого стоишь! Пашка без тебя не... — На этом месте я запнулась, потому что я не знаю, что Пашка без нее «не». — Твои мальчики и... и ты такая добрая, ты хочешь познакомить всех детей...

ПОУЧЕНИЕ. Никогда не говорите людям «нет», а вдруг от них ушел муж или еще что-нибудь?

— Шалтай-Болтай, — сказала Алла. — Я, как Шалтай-Болтай, разбилась, и вся королевская конница, вся королевская рать не может...

Ой. ...Алла гений!

Английская школа «Шалтай-Болтай».

Звучит кратко. И кротко. И Шалтай-Болтай очень близок мне по характеру: он получает от Короля подарки на день нерожденья, все дни в году, кроме одного.

И мне как математику приятно, что Шалтай-Болтай связан с математикой: что-то насчет возведения в отрицательную степень (но что такое отрицательная степень?).

И в современном английском языке humpty dumpty имеет два значения: «толстячок» и «вещь, разбитая и невосстанавливаемая». Как Алла, как я.

Обе мы с ней как лебеди, у которых была пара, а теперь нет... Максим не рассказал мне, как прошел кастинг, а я не спросила ни его, ни девочек на студии. Когда тебя без всякой вины прогоняют из общей жизни, зачем лезть обратно, толкаясь и требуя «пустите!»?

...Так прекрасно и печально думать о себе как о прекрасном печальном лебеде, скользящем по прекрасному и печальному озеру, одиноком и безутешном... Но нужно закончить с названием. Английская школа «Шалтай-Болтай» — клевое название.

Так и видится клевый чувак 6+, смотрит, как падает снег, думает, как устроен мир, и читает «Сказки Матушки Гусыни», чувак 10+ читает Диккенса... Все уроки сделаны. Портфель собран. Чувак адаптирован, успешен, с хорошо развитым понятийным и абстрактным мышлением, прочитал всего Шекспира.

Остаются последние штрихи.

Английская школа «Шалтай-Болтай» для детей из хороших семей.

Но не звучит ли это немного свысока? Да и с коммерческой точки зрения неправильно: вдруг кого-то отпугнет это «из хорошей семьи»?

И что такое «хорошая семья»? Я имею в виду, что это семья, где хотят отдать ребенка в мою школу.

Может быть, Английская школа «Шалтай-Болтай» для хороших детей.

Нет, это глупое кокетство: каждая мама считает своего шестилетнего ребенка хорошим, даже если он станет курить под партой.

ИТОГ ДНЯ:

- Ура? Думаю, да. Думаю, у меня уже е с т ь школа.
- И я скоро оформлю ИП.
- И мама скажет «молодец» (моя мама).

В детстве мне казалось, что чужие мамы перехваливают своих детей, а моя мама меня н е д о хваливает.

Мне до сих пор кажется, что мама меня недохваливает.

- Статья в газете «Санкт-Петербургские ведомости» о методике английской школы «Шалтай-Болтай» — одна.

Интервью выйдет завтра. Но я, честное слово, его не давала, я же не сумасшедшая!

Просто так вышло. К Максиму пришла знакомая журналистка — поговорить про телевидение, сериалы, кино. С ней дочка. Дочка, конечно, будет поступать на журфак.

Максима не было дома. Он журналистку позвал, а сам не пришел: у него есть такая манера. Она же не инвестор, ее можно позвать, а самому не прийти.

Мы пили чай, ели Надины драники, и... я всего-то их спросила, нравится ли им название «Английская школа «Шалтай-Болтай». Просто проверила на них, хорошее ли название. Тем более они моя целевая аудитория: интеллигентные люди, открытые мировой культуре.

Они спросили меня про мою методику: как я добиваюсь таких волшебных результатов, что дети начинают бегло читать по-английски уже через месяц. Видимо, я все-таки что-то рассказывала про школу: что она уже открылась и есть потрясающие результаты.

— Моя методика? Да как меня учили, так и я учу. Я их запираю. Вон в той комнате. Привязываю, конечно. Нет, не больно, кто же мне даст больно... просто фиксирую. Да, каждый день на три часа, не больше, чтобы не умерли от голода. Волшебная методика, сами понимаете.

Они, конечно, смеялись: интеллигентные люди с чувством юмора.

В статье, которая пойдет в завтрашний номер, написано: в английской школе «Шалтай-Болтай» царят строгие нравы, как положено в настоящей английской частной школе. По словам основателя школы Анны Коробовой, методика обучения дает невероятные результаты: дети читают Диккенса уже после месяца обучения.

Читатели газеты не подозревают, насколько все происходит по-домашнему: чай, драники, я что-то наболтала, мы посмеялись, дочке журналистки нужна была публикация, и — повезло — в завтрашнем номере какой-то материал не пошел, и вот статья про английскую школу «Шалтай-Болтай» за ее подписью.

А читатели читают.

- По сообщению шпиона (конечно, у меня есть шпион на студии), она переписывает некоторые сцены из первой серии. Значит, Максиму что-то не нравится? Ура.

Я хочу, чтобы сценарий переписывали и переписывали. А когда начнут снимать, чтобы съемкам что-то помешало. Пусть режиссер запьет. Пусть снимет две серии и уйдет в буддистские монахи. Я хочу, чтобы проект провалился. Видимо, я гадина.

Да, я гадина. Но если бы Максим хотя бы со мной разговаривал, обсуждал... Пашка ведет себя с Аллой так, будто она его старая, но нужная ему семья. А Максим так решительно отстранил меня от этого проекта, как будто я старая н е н у ж н а я семья. И вчера спал в кабинете. Еще неизвестно, кто гадина.

- Остался один вопрос: можно ли обойтись без пластической операции?

Обсуждали с журналисткой, что лучше — уколы гиалуроновой кислоты или пластическая операция. Это она начала! Сказала: «Наш с вами тип старения мелкоморщинистый, поэтому нужно подкалывать ботокс вокруг глаз и гиалуронку в носогубные складки». Вот о чем теперь малознакомые люди говорят за драниками — о носогубных складках.

ГЛАВА ДЕВЯТАЯ
Что сказали все и что сказала мама

Думаешь о чем-то, мечтаешь, строишь планы. И при этом з н а е ш ь, что твои планы будто рисунки мелом на асфальте — не сбудутся, это слишком прекрасно, чтобы случиться.

К примеру, я в детстве думала: стану знаменитой актрисой, в киоске будут открытки со мной, ни витрине журнал «Советский экран» со мной на обложке. Но откуда-то я своим детским умишком знала: мечтай-мечтай, но не будет открыток и обложки.

Также и с бизнесом. Я уверенно говорила «моя школа», изучала ОКВЭД, мысленным взором видела свою школу (небольшое здание с колоннами в стиле классицизма), и при этом в глубине души знала — нет, ничего не выйдет. В глубине души я в курсе цен на аренду.

Ни одно человеческое начинание не выдержит аренды.

Я не хотела арендовать что-нибудь ужасное, к примеру, помещение детского сада: столики, стулики, омерзение от покрашенных синей краской стен. Не хотела арендовать убитую квартиру с бабушкиным ковром, стенкой и пятном от хрустальной вазы на столе.

Что-нибудь получше было бы слишком дорого. Честно говоря, синие детсадовские стены и бабушкины ковры были для меня слишком дорого. Поэтому я и уходила от вопросов, где будет моя школа и сняла ли я уже помещение.

И тут настало время объяснить, почему я не хотела вкладывать в свой бизнес ни рубля.

А потому, что я придумала свой бизнес для радости, денег и спасения мира. Я уверена, он будет суперуспешным и прибыльным (франшиза по всему миру).

Но я же не дура и умею приблизительно сосчитать прибыль: дети, умноженные на цену обучения, минус аренда помещения (затраты на учителей, администраторов, уборщиц и учебные пособия можно не считать, по сравнению с арендой они незначительны). При нынешних ценах на аренду моя прибыль — это жалкое отрицательное число. Аренда делает мой бизнес навсегда нерентабельным.

Откуда же взяться радости при нерентабельности бизнеса? Не хочу плохого настроения по первым числам месяца, не хочу, внося арендную плату, думать «черт, ну я и неудачница», не хочу итоговой депрессии от того, что у меня ничего не получилось. (И вы тоже подумайте — на фига вам дополнительные неприятные мысли к тем, что у вас уже имелись?)

ПОУЧЕНИЕ. Вот мое гениальное ноу-хау: ничего (я имею в виду вообще ничего) не вкладывать, кроме себя, чтобы потом не было больно и обидно. Свои способности, свой труд — это да, этого не жалко. Но не деньги, не кредиты, а то так можно увлечься и квартиру заложить.

Когда я придумала свой бизнес, я сразу же знала, что

— или ничего не получится,

— или бизнес возможен только у меня дома.

У меня дома, да.

Просто я не хотела с р а з у об этом думать. Открыть свой дом — это большая смелость, открыть свой дом может только человек, в доме которого нет ничего неприятного, все красиво, повсюду не разбросано неглаженное белье и старая обувь, велосипед не падает на голову, не летает моль, не пахнет кошками... человек, в жизни которого нет неприятных стыдных сторон. Обычно это очень смелый независимый человек, каковым я и являюсь. Но было очень страшно об этом думать.

И было очень страшно сказать об этом друзьям. Потому что они в ответ тоже что-нибудь скажут. Для меня важно, кто что сказал: меня можно одобрительным словом вознести к вершинам, а можно так сковырнуть, что я костей не соберу.

Вот такие диалоги были у меня с близкими людьми.

Например, с Зинаидой-олигархом.

— Я открываю школу. Английская школа «Шалтай-Болтай» для детей.

— Молодец, мымрик. Много не заработаешь, зато стабильно. А где будет школа?

— Что где? Ах, школа. Ты имеешь в виду, где школа? Понимаю. Ты имеешь в виду, где школа. А школа будет... на Невском. К о н е ч н о, на Невском, где же еще. ...Конечно, аренда, что же еще? ...То есть, конечно, не аренда. Ты вообще представляешь цену аренды на Невском?! Никакая школа не окупит аренду на Невском. Что? Где все-таки будет школа? Дома. У тебя. Ха-ха... шучу. У меня. Да, у меня — у меня — у меня. У МЕНЯ. У меня ведь такая большая квартира, что в ней можно не заметить школу или университет, поэтому... как раз хорошо... Нет, университета у меня дома не будет, только школа.

Вот такие у Зинаиды-олигарха были возражения:

1. Это т в о й дом. Это твой д о м. Изгадят все. Антикварную мебель не жалко? А картины?.. Разнесут все. Это же дети.

2. Работа и дом будут перемешаны. Это плохо.

3. Что скажет Максим?

4. Вдруг кто-то по ошибке забредет к тебе в спальню? Возьмет посмотреть твое кольцо с туалетного столика? И забудет вернуть. Это же дети.

5. Представь: в прихожей будет стоять детская обувь. Зимой. Сто пар грязных сапог в твоей прихожей. Грязные сапоги.

6. И кого-то стошнит в прихожей. И запачкают туалет. Это же дети.

Вот она, прекрасная картина моего бизнеса: пол затопчут, антикварную мебель сгрызут, стены испишут плохими словами, на картинах моим предкам пририсуют усы. Напачкают, натошнят... Это же дети!

От этих ужасных перспектив мне приснился сон: приснилось, что у меня в квартире курят. Шестилетки нагло курят у меня в квартире! А мамаши стоят в сторонке. Я возмущаюсь, а мамаши ухмыляются и говорят: «Это же дети».

Но самое страшное сказали мне не подруги: что подруги!.. Вот мужчины жестко бьют в самую точку.

— ...И представь, дети сидят у камина под зеленым абажуром, читают Диккенса посреди книг и картин, тут же кот и пудель... Правда, красивый проект? — сказала я.

— Не вижу н и ч е г о красивого. Пустить в свой дом чужих людей? Подгадить Максиму? В этом нет н и ч е г о красивого, — сказал Надин муж. Пессимист и скептик.

А я думала, в этом в с е красиво... Сама идея — Шекспир, Диккенс, кроткие дети под абажуром, счастливые мамы, которым не нужно вечерами кричать «прочитай строчку, а то убью!», я с мудрым лучистым взглядом. Возможно, в черном, а возможно, в зеленом плюшевом плащ-палатке с вышитым на кармане попугаем (все от российских дизайнеров).

— С таким настроением бизнес-империю не построишь, — мстительно сказала я, но Надин муж не понял моего намека. Он считает, у него бизнес-империя. И он прав: его сестра, деверь, шурин, двоюродные братья, племянники (каждый умеет что-то свое) — это настоящая бизнес-империя.

Я очень расстроилась, очень!..

Это «нет ничего красивого» очень больно меня задело. Я всегда хочу, чтобы было красиво. И значительно.

Думаю, другие хотят того же: чтобы любовь была прекрасна, как в кино, и страдание красиво, как в кино, чтобы о нас спели песню, сложили легенду и сняли сериал.

Метким словом можно человека пришибить, и я, метко пришибленная, уже начала думать: наверное, единственное красивое в моем проекте — это зеленый плюшевый плащ-палатка с вышитым попугаем. А все остальное (Диккенс, дети) — некрасивое, и сама я дура.

Хорошо, что Надин муж вовремя меня остановил.

ПОУЧЕНИЕ. Наплевать на Надиного мужа. Вообще плевать, кто что сказал. Точка.

Тем более у каждого есть тот самый, единственный человек. Мой муж — а не Надин, — вот чьим мнением мне следовало поинтересоваться в первую очередь. Мой муж, а вовсе не Надин, делит со мной жилплощадь. Будущее помещение школы.

— Учить детей английскому — это мило, — рассеянно сказал Максим.

— С ума сошел? Я — учить детей английскому? Я что, репетитор, что ли? Я не собираюсь учить детей английскому! Это может сделать любая училка. Я хочу совсем другое!

— Что другое?

— Другое!

Неловко сказать: «У меня не просто фонетика-грамматика-базовая лексика. У меня к концу первого месяца обучения дети будут сами читать сказки. У меня задача создать школу, в которой дети приобщатся к другой культуре». Это звучит, словно я выступаю на заседании кафедры или на педсовете.

Неловко сказать: «Я хочу принести кое-какую пользу, хочу подмести свой кусочек мира». Это слишком интимное, таким не делятся.

Но вопрос в том, где я буду его подметать.

— Ну и что ты хочешь, чтобы я сделал? — спросил Максим.

Но это не было доброжелательное «что ты хочешь, чтобы я сделал?».

Это было «У меня кастинг, у меня переписывают сцены из первой серии, у меня актриса, которую я хотел на главную роль, отказалась, у меня актер на главную роль занят...»

На самом деле Максиму не нужно ничего делать. Только убрать из гостевого туалета бритву, и все. Я сама могу убрать из гостевого туалета бритву.

Я имею в виду, что гостевой туалет будет школьным туалетом, неужели не понятно! В школе никто не бреется в туалете. Когда я была школьницей, я не видела, чтобы кто-то брился в школьном туалете.

— Ты можешь убрать свою бритву из гостевого туалета в ванную? Зачем? Просто мне кажется, это не совсем... приходят люди, гости, заходят в туалет, а там бритва... а это гостевой туалет, там не должно быть наших личных вещей.

— Это мой дом везде, и в гостевом туалете тоже. И я буду бриться где хочу. А я хочу в гостевом туалете, — заявил Максим с таким видом, как будто он борец за права человека или отстаивает свое право на жизнь: бриться в гостевом туалете или умереть.

Надо сказать, он не всегда был таким. Раньше он был милым, сговорчивым, раньше ему было все равно, где бриться, раньше у нас и гостевого туалета не было... Это возрастные изменения, не иначе.

Иметь гостевой туалет, биться за свои мелкие привычки, считать, что я покушаюсь на его независимость, — все это возрастные изменения.

— Ты ведь не имеешь в виду, что я должен оплатить аренду для этой твоей как бы школы?

Нет, конечно, не имею в виду.

Я всего-то прошу протянуть мне руку помощи: мой бизнес не состоится, если он не уберет из туалета бритву. Я хочу подметать свой кусочек мира без арендной платы.

Опять, как часто бывает в бизнесе, ситуация «Волк, коза и капуста», когда все нет: арендовать помещение — нет, превратить свой дом в школу — нет. Максим не захочет превращать свой дом в школу: чужие люди в квартире, амортизация антиквариата, груда грязных детских сапог в прихожей, пририсованные предкам усы. Даже не буду его спрашивать, все очевидно — нет. Волк, коза, капуста.

Тут только один вопрос — кого сожрать.

В бизнесе часто все решается само собой. В последнем нашем с Максимом проекте возникла очень неприятная ситуация: в процессе съемок выяснилось, что известная актриса, играющая главную роль, не справляется с ролью, ну вот просто совсем нехороша... Ничего тут не поделаешь, контракт заключен, и уже много отсняли. Максим мучается — нужно было брать другую актрису, я его утешаю, что ничего, как-нибудь, публика ее любит... И вдруг — раз, и актриса беременна. И ее — раз, и на сохранение. И она просит расторгнуть контракт вследствие таких непредвиденных форс-мажорных обстоятельств. И студия — раз, и расторгает контракт. И все сцены с ней быстренько пересняли. С другой, актрисой, которая случайно оказалась свободна. Это я к тому, что в бизнесе часто все решается само собой.

Вот и у меня: само собой решилось, что часы работы школы «Шалтай-Болтай» с 14.00 до 19:00.

Это как раз подходящие часы работы школы: в это время Максима не бывает дома.

В школе будут дневные и вечерние группы, 4 группы по 10—12 человек, всего от 40 до 48 учащихся.

Я не видела никаких моральных препятствий к открытию школы тайком у себя дома: если Максим случайно придет и застанет толпящихся в прихожей мамаш, то можно представить их подругами. Скажу: это мои подруги, 10—12 подруг с детьми. Он не спросит, почему все мои подруги новые, помолодели и приобрели массовый характер: мы с ним давно договорились, что каждый из нас вправе сам выбирать себе друзей.

Кстати, и закон на моей стороне.

Если бы у меня было ООО и я захотела бы устроить школу дома, Максим должен был бы письменно подтвердить свое согласие на размещение моего бизнеса в нашей квартире.

«Предприниматель может зарегистрировать ООО по месту прописки или фактического места жительства при условии, что жилое помещение находится в частной собственности. Согласно правилам регистрации, оформить ООО в жилом помещении можно только в том случае, если остальные собственники письменно подтвердят свое согласие на размещение фирмы по указанному адресу».

Но у меня не ООО, у меня ИП — ха-ха-ха! В качестве ИП я могу разместить свой бизнес в нашей квартире без письменного согласия Максима. Устного согласия тоже не нужно!

Таким образом, в законе написано: я могу делать что хочу, согласие Максима не требуется. Тем более он никогда не заглядывает в комнаты, которые будут классом и учительской.

...А следы бизнеса в квартире легко спрятать: нужно только плотно закрывать двери в эти комнаты, чтобы из коридора не было видно детей и учителей, классной доски и учебных пособий.

ПОУЧЕНИЕ. Не думать: «Да-а, другим-то хорошо!..» Думать о том, что есть у тебя.

Кто-то, может быть, сказал бы мне: «Вам-то хоро-ошо, Анечка... Не у всех есть такие возможности: подходящая для бизнеса квартира, где можно не заметить бизнес, если поплотней прикрыть двери. У других-то и квартирка маленькая, и муж рано с работы приходит, и приготовление обеда идет непрерывно, и бабушка болеет...»

127

Я и сама с интересом смотрю, что есть у других. Не завидую, а так, приглядываюсь, как там у них дела.

Взять, например, Аллу. Пашка арендовал помещение в пяти минутах от Невского проспекта для ее бутика, там красивейший ремонт, дизайнерская мебель... И, конечно, возникает мысль: а я? а мне? а у меня? У меня-то ничего, мне-то все самой, мне-то открывать бизнес дома... Где мое помещение с ремонтом и мебелью в пяти минутах от Невского, а?! А ведь у меня не какой-то там бутик! Бутик разве изменит что-то в мироздании, бутик разве интегрирует целое поколение в мировую культуру, вырастит элиту, научит детей любить Шекспира и Диккенса?! ...Может быть, предложить Алле объединиться? Она мне — помещение, я ей... А что я ей? Мне нечего ей предложить.

Тогда так: каждому свое. У Аллы бутик. У меня английская школа «Шалтай-Болтай» в большой красивой квартире, муж, который не знает, что сдает квартиру под бизнес. Я сама уберу его бритву из гостевого туалета.

ПОУЧЕНИЕ. Не стесняться.

Не стесняться сделать пять групп: чем больше групп, тем больше прибыли.

Чем больше групп, тем больше похоже на бизнес.

Утренняя группа может начинаться в 10 утра.

...Придется Максиму уходить из дома немного раньше, чем он привык, на час-полтора: когда сдаешь квартиру под бизнес, не приходится расслабляться, бродить по дому, принимать душ, завтракать, пить кофе, раздавать указания по телефону, курить... О-о-о! Курить!

Как в школе-то курить?

В школе можно курить только подросткам в туалете, а Максиму нельзя...

И мне, мне нельзя курить! Директор школы, как правило, не курит.

...Но если он все же курит?

Где курит директор школы? Не прячется же он в гостевом туалете, перемигиваясь с подростками?

Нужно подумать о специально выделенных местах для курения директора: пусть курит на кухне, у окна за занавеской. Муж директора школы пусть курит на улице.

Но как же свобода? Я имею в виду моя свобода. Одно дело курить повсюду, где захочется, и совсем другое дело в специально отведенных местах за занавеской. Некурящему человеку это покажется ерундой, но для меня это мучительнейшая перемена образа жизни.

Подумаю об этом потом. Сейчас мне нужно на телевидение: в прямом эфире на канале «Санкт-Петербург» основатель английской школы «Шалтай-Болтай».

ИТОГ ДНЯ:

• Хорошее настроение. Довольна тем, как идет бизнес: я ни от кого не завишу: хочу, сделаю две группы, хочу пять, и аренду платить не нужно.

• Сигарет — 23.

Не может быть, что я столько курила. Вот пустая пачка, а вот открытая, лежит на камине. Кто-то открыл и вытащил три сигареты, кто?

Одну сигарету из новой пачки стрельнул у меня ведущий с канала «Санкт-Петербург», одну стрельнула гримерша, но кто выкурил третью сигарету? Не может быть, чтобы я.

И кто-то еще выкурил все предыдущую пачку.

• Мыслей, как запретить Максиму курить в квартире, — одна. Сказать, что была у врача, и врач запретил ему курить в квартире.

• Интервью в прямом эфире про мою школу — одно.

Меня пригласили на программу, потому что ведущий прочесывает прессу в поисках, что нового происходит в городе: прочесал «Санкт-Петербургские ведомости» и нашел тот псевдоматериал обо мне и моей школе. Все так и происходит: я наврала в частном кругу за Надиными драниками, журналистке нужна была публикация для дочки, и она наврала в статье... А читатель читает, и телезритель смотрит...

Ведущий программы сказал: «Сейчас популярен культурный бизнес, различные школы и курсы.

Как основатель школы расскажите подробней о вашем начинании, и где находится школа...»

Я не дура признаваться, что мое начинание находится в моей квартире.

Максим не смотрит телевизор, и никто из наших знакомых не смотрит днем канал «Санкт-Петербург», но осторожность не помешает.

Я сказала: «Где находится школа? Английская
школа «Шалтай-Болтай» находится».

До рекламы успела рассказать о том, какие потрясающие результаты дает моя методика обучения.
•   Размышлений о том, что я настоящий Хлеста-
ков, — одно.

Одно меня успокаивает: Максим не смотрит
канал «Санкт-Петербург», никто не смотрит канал
«Санкт-Петербург».

Кроме мамы.

ГЛАВА ДЕСЯТАЯ
О самом главном

В названии предыдущей главы было «Что сказала мама». В самой же главе ни слова о том, что сказала мама. Потому что к этому так просто не подойти, н е   т а к   п р о с т о   к этому подойти. Мама — это вообще отдельная история.

ПОУЧЕНИЕ. Соврите маме.

Не знаю, как кому, а для меня самое трудное в бизнесе — это сказать маме.

Мама, она... Мама, она.

Мама, она сделает такое лицо... У нее на лице будет крупными буквами написано: «Не хочу тебя расстраивать, но, по-моему, у тебя ничего не получится» и «Я же за тебя волнуюсь...» и мелкими буквами: «Надень шапочку!»

ПОУЧЕНИЕ. Не говорите маме всю правду, не открывайте сразу все, действуйте пошагово, пользуйтесь старым проверенным методом: «А вот одна девочка...»

На вопрос «Почему я из телевизора узнаю новости о твоей жизни?..» не отвечайте. На вопрос «Почему ты открываешь школу, а я ничего не знаю?» отвечайте «Не открыла, не школу, не я».

Я так и действовала: все отрицала.

— Мама. Я немного неточно выразилась по телевизору: пока я только думаю, как плохо обстоит дело с образованием вообще и с чтением Диккенса в частности... Хотя то и дело открываются частные школы, детские центры, домашние кружки. Одна моя знакомая открыла частную школу. И я подумываю открыть школу... маленькую школку, школочку... такую маленькую, что ты ее не заметишь. Поэтому я тебе не сказала.

— Ч а с т н у ю?!

— Мама. Ну, конечно, частную, я же не могу открыть государственную школочку.

— Ну и где же она будет?

— Где будет школочка?.. Где-то тут... недалеко (я не самоубийца, чтобы сказать «у меня дома»).

Диалог выглядит коротким, но в реальном времени все это заняло у меня не пару минут и даже не пару часов, зато успех превзошел все мои ожидания: меня не ругали. Мама много раз одобрительно повторила: «Диккенс — это хорошо», и «Шекспир — это хорошо», и «Джордж Элиот — это хорошо», и «Айрис Мэрдок — это хорошо», и неодобрительно сказала «Зачем тебе это надо?» и «Ну, не зна-аю», — и все.

...Ну, не то чтобы совсем все.

Моя мама (у других мам могут быть развиты другие качества) считает нас обеих людьми с развитой самоиронией: моя ирония направлена на меня, и ее ирония направлена на меня как на часть ее самой (я ведь часть ее самой).

— Анечка, но ты ведь не можешь всерьез заявить: «Я открываю школу». Это глупо.

Да, глупо всерьез сказать «я открываю школу»: школа — это что-то кирпичное буквой «П», тетя Дуся в раздевалке, кабинет завуча на третьем этаже.

— Это не я сказала, а ведущий программы.

— А ты кивнула.

— Я больше не буду.

— По телевизору тебя назвали «основатель школы», это уместно лишь в одном случае: если ты признанный основатель научной школы, — продолжала мама. — Ты кивнула.

— Я больше не буду.

Мама права: кивая на «открываю школу» и на «основатель школы», выглядишь напыщенным кретином, из тех, что каждому своему действию (сегодня съел кашу или чихнул два раза) придают непомерно большое значение.

Мама права, к о н е ч н о. Глупо важничать, что съел кашу, чихнул два раза и открываешь школу.

ПОУЧЕНИЕ. Мама не права. Важничайте! Почему бы в ответ на то, что вас назвали «основатель школы», «основатель жанра», «основатель индустрии», «основатель ларька», не выпучить глаза и не надуть щеки?

Между мамой и мной меньшая половина Невского, от улицы Восстания до Фонтанки. Меньшая половина Невского хороша тем, что если вдруг решил провести социальный эксперимент, его можно провести прямо тут. На пути домой я встретила знакомых из театра «Зазеркалье» и «МДТ», из библиотеки Маяковского и ресторана «Счастье» и каждому на формальный вопрос «Как дела?» отвечала: «Я открываю маленькую детскую школку у себя дома».

До улицы Марата это было интеллигентское извиняющееся хмыканье, такое... хм... кхе-хе... хм: «Я хм... открываю кхе-кхе...»

Начиная с улицы Марата извиняющееся хмыканье сменилось уверенностью напыщенного кретина, и я так бодро рапортовала: «Я открываю английскую частную школу у себя дома!», что мне удивленно говорили «поздравляю», и я со скромным достоинством отвечала «спасибо».

И знаете что? Земля не разверзлась под моими ногами, и небо на меня не упало. Никто не знает, что я самозванец, что нет никакой школы, — значит, школа есть.

Конечно, я согласна с мамой (я ее дочь, она меня воспитала по образу и подобию своему), что «я открываю школу» звучит невыносимо пафосно. А «я открываю английскую частную школу у себя дома» звучит как в анекдоте. Но нужно вынести.

Строго между нами: у Зинаиды-олигарха плохой вкус. Она любит делать ремонт и менять стиль в Питере, в Каннах, в Ницце. Любит спросить: «Ну как тебе мой новый дизайн?» Я всегда говорю «красиво» или «очень красиво». Нормальному человеку вежливость не позволит сказать: «Ты чего, Зин, рококо с русским стилем смешала, рококо сюда вообще не катит...» Я говорю Зинаиде «красиво», и Зинаида-олигарх утверждается в мысли, что у нее красиво.

Также и мне не скажут: «Ты чего, Ань, английская частная школа — это в Англии, знаешь? А не у тебя дома». Скажут: «О-о, молодец». И я стану думать: «Да, я молодец, я — школа буквой «П» с тетей Дусей в раздевалке и кабинетом завуча на третьем этаже». Бизнес-то требует не рефлексии, не самоиронии, а самоуверенности.

ИТОГ ДНЯ:

• Тренировочных полетов по Невскому с целью утвердиться в роли уверенного в себе кретина — один.

• Размышлений, что мама права и не лучше ли вовремя остановиться — 455.

• Ночных страхов — 3.

Дело в том, что я очень подвержена ночным страхам: просыпаюсь ночью и боюсь.

Страх 1. Открыть школу означает стать окончательно взрослым человеком. А вдруг у меня не получится?

Страх 2. Возраст — это прибавка в весе и потеря друзей, а я хочу, чтобы потеря в весе и прибавка друзей.

Я надеюсь, что с открытием школы у меня появятся новые друзья: учителя, родители. А вдруг это не так? Вдруг не подружусь с ними и еще поправлюсь?

Страх 3. А вдруг я больше не могу писать? За все это время не написала ни страницы. Идей для сценария очень много, что на самом деле означает — ни одной. Бывает же так, что человек вдруг перестает писать. Разучается или еще что-нибудь.

Страх 4. По закону, «ИП отвечает по долгам всем своим имуществом». Но за что отвечает? Если ученик разобьет коленку и родители подадут в суд, я должна ответить за коленку своим имуществом? Чем, антикварным шкафом?.. Нужно не забыть вписать в договор, что за разбитые коленки отвечают сами ученики.

Что, если я забуду вписать? Прощай, шкаф?..

Страх 5. Все-таки нужно смотреть правде в глаза: ученики могут разломать антикварные стулья. Особенно тот, у которого расшатаны ножки.

Ученики могут зажечь свечи на антикварном буфете, чуть я отвернусь, и сжечь антикварный буфет.

Страх 6. А если пудель и кот будут страдать от потока чужих людей в доме? Кот вряд ли будет страдать, он кусается, а безответного пуделя заласкают до полусмерти.

Страх 7. Страх, что у меня нет совести.

В одной нашей знакомой паре муж — писатель, и его жена всегда говорит «мы сейчас пишем то-то», «мы работаем над тем-то», «мы написали главу» — ну, известный такой типаж жены.

А мы с Максимом раньше действительно могли сказать «мы сейчас работаем вместе» и даже «мы написали сцену» (бывало и такое).

Но теперь — все. Теперь мы работаем над разным: он над своим бизнесом, я над своим.

...Что-то я забыла, при чем здесь совесть?..

А-а, да. Мне придется многое от него скрывать: почему ему нельзя курить дома и кто переложил бритву из гостевого туалета. Это неправильно. Максим — хороший человек и ничем не заслужил жить при школе, как бездомная уборщица в каморке со швабрами.

Страхов получилось не три, а семь. А ведь я еще только начала.

• Твердых решений вовремя остановиться — одно.

Выброшу дипломы, купленные в «Буквоеде». Все школы в мире выдают дипломы по окончании обучения, а я собиралась выдавать диплом в начале обучения: в «Шалтае-Болтае» учеба для радости. Выдам себе диплом, напишу: «Дорогая Анечка, расти большая, читай Диккенса. Твой «Шалтай-Болтай».

Жаль, что школы не будет.

ГЛАВА ОДИННАДЦАТАЯ

Что можно узнать о людях, чего я даже не могла предположить

Сначала я увидела машину Максима. Он ехал по Тверской, пытаясь найти место для парковки у ресторана «Шаляпин». Я тоже хотела припарковаться у ресторана «Шаляпин». Но Максим занял место, которое я приглядывала для себя.

Максим любит ресторан «Шаляпин» у Таврического сада: он там обедает (один, со мной, с разными людьми) и ведет бизнес. Последнее время я не встречаюсь с ним в ресторане «Шаляпин», теперь я тоже обедаю там, где веду бизнес, — дома. Сегодня Надя обещала сделать ленивые голубцы, сказала, не ленивые ей лень.

На Тверскую я приехала не следить за Максимом, а стричься, салон — соседняя дверь с рестораном «Шаляпин».

Там и так-то никогда не припарковаться, а сейчас еще ремонт и все перекопано. И я ездила, и ездила вокруг... ездила и ездила и вдруг... (как будто можно увидеть кого-то не вдруг) увидела Максима.

Они ехали передо мной: Максим за рулем, она рядом. Максим меня не заметил, хоть я и погудела, — он слишком сосредоточенно водит машину, вцепляется в руль и ничего вокруг не замечает, кто сзади едет, кто ему гудит... Наверное, все люди с плохим зрением (у Максима минус восемь) сосредотачиваются на одном действии. Недаром же говорят «он весь превратился в зрение»... или в глаза, или в уши. Лучше бы Максим весь превратился в ухо: услышал бы меня, и не было бы того, что случилось дальше.

Максим припарковался за несколько домов от «Шаляпина», а мне места не было, и я стала ездить кругами — мимо Таврического сада, Смольного собора. На втором круге они уже подходили к двери ресторана — я опять погудела, хотела сказать, что сейчас приду к ним, мешать не буду, выпью с ними кофе и уйду.

Когда я вошла в ресторан, он ее обнимал. Они целовались. Не знаю, что и сказать.

Уйти, не уходить, устроить сцену? Какую? Я же все-таки привыкла к сценам, сколько сцен я написала, наверное, сотни, если считать вместе с теми, что я переписывала. Так что у меня много вариантов:

— Уйти.

— Подойти и молча смотреть страдальческим взглядом.

— Подойти и хряпнуть вазу об стол.

— Подойти и молча плакать (слезы текут по неподвижному лицу).

— Диалог (не знаю, что можно было сказать Максиму, просто в кино бывает нужен диалог).

Но все это, оказывается, — для других, для персонажей. А для меня совсем другое: я просто замерла, как будто у меня отнялись ноги. Стояла, не в силах двинуться с места.

И когда Максим перестал ее целовать, поднял голову и увидел меня, знаете ЧТО он сказал?

Господи, продюсер, человек, отсмотревший километры пленки со сценами измен, человек с высшим образованием, выпускник ВГИКа... Он сказал:

— Это не то, что ты подумала...

Что же будет дальше? Что я буду делать?

Молча уйти в машину, унося с собой свое разбитое сердце, приехать домой, собрать вещи, обнять Надю, уехать на Север — не могу. Как я покину дом, у меня там бизнес.

Поеду домой и выкину его вещи из окна — да, да!.. Выкину все. На Невский! Окна же наши выходят на Невский. Машины едут по Невскому, а перед ними летят рубашки, галстуки. Носки. Кому-то на бампер падает пальто.

Под нашими окнами почти всегда гаишник стоит. На Невском. Ему на голову упадут последовательно: рубашка Максима, брюки Максима, пиджак Максима, галстук... последними полетят галстуки, как лебеди над Фонтанкой. Эффектная сцена... Сценаристка — это не просто профессия, это образ мышления. Когда я пишу и не вижу сцену, я ложусь на диван (Надя думает, я сплю, а я работаю), закрываю глаза и в и ж у: все встают передо мной, как живые.

Максим целуется с ней, я их вижу, у меня отнялись ноги — это я придумала. На самом деле я просто подстриглась.

Пока стриглась, спросила у своего парикмахера («парикмахер» звучит несовременно, почти как «дамский мастер», а сейчас мы говорим «мальчик, который меня стрижет»), не знает ли он хороших учителей английского. У парикмахеров обычно есть все, но вот у моего не нашлось ни одного учителя английского.

Я задумалась об учителях, потому что в школе обычно бывают учителя.

Никогда еще никого не нанимала на работу. Кроме Нади двадцать лет назад, но это было совершенно неформально: я спросила ее, не могла бы она... а она сказала «ладно уж». А сейчас все будет по-настоящему, с интервью, резюме и фотографией анфас и в профиль.

Для того, чтобы нанимать на работу и требовать фотографироваться анфас, нужно знать, сколько я буду платить.

Чтобы знать, сколько я буду платить учителям, нужно проанализировать рынок (кажется, это называется провести маркетинговое исследование).

Маркетинг занял минуту: в частных школах и на сайте «Репетитор СПб» час учителя стоит 300—1000 рублей. Учитель в частной школе платит налог 13 процентов, а репетиторы должны заплатить сайту — не помню, сколько именно. Но думаю, они избегают платить сайту.

Вот мое решение: буду платить 1500 рублей в час.

Почему же не самую низкую цену, не среднюю цену и даже не самую высокую, не тысячу, в конце концов?

— Почему? Почему не триста, не семьсот, не тысячу, в конце концов? — спросила Надя, осуждающе спросила, недоброжелательно.

По-моему, в ней говорит ревность: учитель получает в час столько же, сколько она в день. Ревность, понятное дело: сценаристам тоже платят по-разному: одному за серию платят в два раза больше, чем другому... в два, а то и в три! Отсюда истерики, глубинные обиды: сколько тебе платят, столько ты с т о и ш ь.

Не хочу знать, сколько Максим заплатил ей за сценарий: вдруг она стоит в его глазах много больше, чем я. У меня язык не поворачивается спросить Максима.

Тем более я знаю от моего верного шпиона на студии: она стоит в его глазах немного больше, чем я. Немного, но б о л ь ш е. ...И по-вашему, это не измена?

Итак, почему я решила платить 1500 рублей в час? Потому что 1500 круглое число и звучит приятно.

Зинаида-олигарх сказала, что я пойду по миру.

А Надя сказала «ну-ну».

— Ну-ну, — сказала Надя.

Она все еще в плохом настроении.

— Надя! У вас все еще депресняк или уже все в порядке?

— Аня! Не спрашивайте меня. Я теперь всегда буду такая: радости нет. Раньше проснешься, солнышко, и уже настроение жить... А теперь, ну что уж теперь: нужно доживать... Пирог с капустой? Нет. Могу вот яблоки запечь, а пирог — нет: вся капуста ушла на голубцы, нужно за капустой идти, а мне лень. Раньше-то все было не лень, быстренько сбегаешь, и все, а теперь лень. Идите сами, если хотите. Вам нужно, вы и идите. А у меня возраст дожития.

Надя в возрасте дожития выглядит как огурец, не длинный, а хорошенький, с пупырышками: фигура как у шестиклассницы, лицо без морщин: природа такая.

— Надя! Вам кажется, что ничто уже не будет, как прежде, но в этом как раз ошибка: как прежде не получится, нужно что-то новое!..

— Аня! Это у вас все новое. Вы человек творческий, новое кино напишете, вот вам и новое.

А у меня что же новое?.. Вот пирог если спечь, ладно уж, схожу за капустой.

— Надя! Это кажется, что у творческого человека все новое — нет. Я, может, вообще не буду больше писать. ...А как вы думаете — только никому не говорите... может, мне уже пора пластическую операцию делать?..

— Аня! С ума сошли?! Подтяжку? А если уши к щекам пришьют? А наркоз лишний раз?.. Ешьте вон лучше голубцы.

Насчет повышенной оплаты учителей скажу сразу: Зинаида считает, что я выступила как дура.

Мне-то казалось, что неприлично жадничать, когда речь идет о благородном деле: Диккенс, дети, бла-бла-бла. Казалось, при найме на работу наниматель с нанимаемым должны разговаривать о высоком: о Диккенсе, детях. Фига!

Зинаида считает, что это благородное дело в о - о б щ е, в п р и н ц и п е. А для учителя — способ зарабатывать на жизнь, приемлемый или ненавистный. Сказала: «Вот только не надо говорить про призвание: спроси любого учителя, хочет ли он больше никогда в жизни не видеть детей... Спроси!..»

Зинаида-олигарх сказала, что собеседования с учителями нельзя проводить дома: учителя не должны видеть, как я живу.

Зинаида имела в виду, что учитель придет ко мне домой, увидит, как я живу, и подумает: «Вот дрянь, жадина! Катается как сыр в масле по своей огромной квартире среди портретов предков, а со мной торгуется, как зверь, из-за 100 рублей час...» И у нас ничего не получится.

Это была идиотская глупость! Учитель все равно подумает. Или все равно не подумает. Это зависит не от руб./час, а от конкретной завистливости.

А я бы завидовала? Ну, я бы позавидовала, что у меня есть Надя: она настоящий друг и очень много делает для меня: голубцы, печеные яблоки, пирог с капустой.

Кстати, о друзьях: звонила Алла. Грозила мне серьезными неприятностями. Об этом потом.

Сначала о моих ошибках в бизнесе.

Мне казалось, что если я плачу больше всех, то мои учителя самые лучшие. Как если покупаешь самую дорогую сумку, считая: чем дороже сумка, тем она лучше. Тут я с Зинаидой согласна: самая дорогая не обязательно самая красивая и удобная.

Мне казалось, что за больше денег будут лучше работать. Зинаида научила меня: это роковая ошибка: на самом деле — х у ж е.

Зинаида-олигарх сказала, что с таким отношением к деньгам нельзя даже приближаться к бизнесу. Что я не одна такая, и все т а к и е прогорели.

Зинаида-олигарх сказала: «Рассмотрим для примера Аллу».

Я рассмотрела: Алла добрая. В подаренном ей Пашкой бутике продавцы получают зарплату. Зарплата много лучше, чем процент от продаж. Зарплата — это достоинство и стабильность, процент от продаж — это унижение и неуверенность в завтрашнем дне.

Казалось бы, продавцы должны хорошо работать из благодарности. Ни фига. Как ни придешь, они всегда курят на улице. Курят и наверняка обсуждают личную жизнь своего благодетеля (ушел муж и прочее). Может быть, продавцы посылают ей открытки «С любовью и благодарностью за возможность спокойно покурить. Ваши благодарные подчиненные»? Нет. Я не видела у Аллы ни одной открытки.

У Зинаиды-олигарха тоже есть бутик (просто в качестве развлечения). Продавцы получают процент с продаж. Кто бы ни зашел в бутик, они набрасываются на него всей стаей, как меченосцы на корм в аквариуме. Всей стаей бегают за каждым покупателем.

И, я уверена, обсуждают Зинаидину личную жизнь в нерабочее время. На праздники собирают деньги и дарят Зинаиде памятные подарки.

Выходит, Зинаида-Скуперфильд, Зинаида-Синьор Помидор права: сотрудников нужно бить (в переносном смысле, чтобы все время были в тонусе). Надеяться на благодарность — ха-ха-ха. Надеяться, что хорошо оплаченные н е   б и т ы е сотрудники будут благонравно работать, — ха-ха-ха. Человеческая природа не такова, чтобы работать, а такова, чтобы бояться, — так считает Зинаида-олигарх.

Зинаида говорит, что из-за неправильного понимания человеческой природы не одна бизнес-империя осталась лежать в руинах... Вот и Аллин бутик с продавцами на зарплате прогорел. Это имеет прямое отношение к моим неприятностям, но об этом потом.

Но есть самая правдивая правда, в которой я не могла признаться Зинаиде (кое-что слишком интимное): я собралась платить в два раза больше из страха.

Из страха! Не хотела, чтобы учителя думали, что они-то учат детей, а деньги лопатой гребу я, акула бизнеса...

Я не хотела выглядеть акулой бизнеса, Скуперфильдом и Синьором Помидором.

Хотела, чтобы учителя были довольны.

А-а, вот именно! Я хотела, чтобы учителя б ы л и д о в о л ь н ы. Это комплекс: я хочу быть для всех хорошей. Вот откуда ноги растут!

Из моего желания быть для всех хорошей вообще растет много разных ног. Из-за моего желания быть для всех хорошей мне сейчас грозят серьезные неприятности, но об этом потом.

ПОУЧЕНИЕ. Будьте плохим. Плохих-то больше любят.

ПОУЧЕНИЕ от Зинаиды-олигарха. Давай немного.

Зинаида имеет в виду, что у работодателя с работниками должны быть такие же отношения, как у женщины с дурным характером с ее любовником: давать немного (немного любви, внимания, тепла, еды), а требовать много.

Хитрая Зинаидища говорит «они у меня еще попляшут» и дает прибавки и бонусы, за которые требует от своих работников все больше и больше, за каждую прибавку они у нее пляшут.

Зинаида сказала: «Тебе нужно поступить с твоими училками, как с мужчинами: мотивировать. Сначала обещать 500 руб./час, дать 400. Потом дать сразу 600 (пусть что-нибудь за эту прибавку делают — танцуют с детьми после уроков или туалеты моют) ...и так далее, до 900. Тысячу руб./час не плати никогда, чтобы у них было чувство, что им есть куда расти... Поняла, пепешка глунявая?..»

Поняла.

Что это — пепешка? Глунявая?.. Зинаида-олигарх говорит «последние двадцать лет читать некогда, работаю, как галерист» (имеется в виду каторжник на галерах), но если она не встретила эти странные слова в книге, откуда она их взяла?

ИТОГ ДНЯ:

• Угроз — одна.

Алла пригрозила мне: либо я встаю на ее сторону, либо у меня будут серьезные неприятности.

Неприятности такие: Алла навсегда перестанет считать меня своим другом.

Остаться друзьями с обоими нельзя: я думала, что можно (Пашка ведь тоже мой друг), но Алла говорит, нельзя.

Поводом послужил тот самый бутик: Аллин бутик прогорел, Пашка решил его закрыть, а помещение с красивым ремонтом и дизайнерской мебелью отдать новой жене. Алла говорит, что ей не жалко доходов от бутика, тем более их нет, но бутик — семейное дело. Новая жена, которая теперь легализовалась, хочет принимать участие в семейных делах. Пашка понимает, что если у человека сначала отнимают мужа, затем бутик — это чересчур, но ему все это надоело... Драма «предательство» перешла в оперетку: в отместку Алла хочет спрятать его документы у м е н я. В этом компоте у Аллы и созрело решение насчет меня: я должна встать на чью-то сторону.

Конечно, я не первый раз была в таком положении, когда друзья разводятся, — и знала, как себя вести.

— Вы оба мои любимые друзья, все так сложно... я буду дружить с вами обоими... я н е м о г у прятать его документы, пойми, интеллигентные люди не делят друзей, разве я могу встать на чью-то сторону...

— Иди на... — сказала Алла.

Она никогда не ругается, и тут так прямо — «иди на...».

Человек, когда ему так скажут, — он сразу задумается.

И я задумалась: может, это даже отчасти подло говорить «я буду дружить с вами обоими»? Человеку, который страдает? Типа ты такой тупой, а я такой умный и выше тебя?

Можно просто сказать: «О чем разговор, конечно, давай документы».

Алле нужна преданность, и она ее получит.

• Сторон, на которые мне нужно встать, — одна.

• Разговоров с Зинаидой-олигархом о пластических операциях — один.

Зинаида-олигарх сказала: «Сделаю пластическую операцию в Швейцарии, всего сорок тысяч долларов». Зинаидище-олигархище.

Потом добавила: «Но лучше сделаю у нас — всего четыре тысячи долларов, а сэкономленную разницу вложу в бизнес». Это я имела в виду, рассуждая о типах личности: Зинаида по типу личности — олигарх, ей не жалко денег на бизнес.

• Жестких конфронтаций «кот — человек» — 2—3, по меньшей мере.

Кот лежит на столе.

Ну, н а в е р н о е, котам на стол нельзя.

Хотя, в принципе, все зависит от устоев дома: в каких-то домах можно.

Кот спокойно лежит на столе под абажуром, когда на кухне мы с Надей.

Входит Максим, подзывает кота — ко мне!

Кот лежит, не поворачивает головы.

Максим говорит: «Ты почему не идешь к хозяину, а?» и пытается руководить котом: начинает щекотать, гладить, подкладывает ему под нос кусочек сахара, елозит вокруг него игрушкой.

Кот смотрит в сторону.

Максим обиженно говорит: «Раз ты так, ты наказан».

Наказанный кот лежит на столе. Максим ест кашу, примостив тарелку на свободное от кота место, заигрывает с котом, щекочет ему нос. Кот кусает Максима за палец.

Максим кричит «а-а-а, скотина!», кот победно урчит и молнией взвивается вверх, вцепляется в абажур и начинает раскачиваться. Вид у кота, я согласна, наглый.

Максим говорит «фу!», снимает кота, опускает на пол. Кот прыгает на стол, молнией взвивается вверх, вцепляется в абажур, раскачивается с гиканьем, Максим завороженно следит глазами, как огромный абажур — туда-сюда, туда-сюда...

Максим берет брызгалку, снимает кота, брызгает на кота, кот вцепляется ему в руку, Максим кричит «а-а-а!», швыряет кота на пол, бежит Надя с йодом, Максиму мажут царапины, Максим кричит «больно!», и «что скажут люди, почему я весь в йоде», и «меня царапают в моем собственном доме!..».

Максим кричит, кот качается на люстре... Плохо. Так они вообще могут стать чужими людьми.

К психологу, что ли, его сводить? У Максима есть ряд проблем: слишком хочет любви и признания, не понимает, что британский кот — это не пес, а любовь прихотлива и непредсказуема.

Вечером обиженно сказал мне: «За что кот любит Надю? Она на него шикает "пошел вон", а он мурлычет». И пошел спать.

• Мужей, спящих рядом — ни одного.

Максим часто спит в кабинете, но теперь что-то совсем переехал. Говорит, ему лучше спится одному. А мне лучше с ним, так у кого возрастные изменения?

ГЛАВА ДВЕНАДЦАТАЯ

Что можно узнать о людях-2
(Кто мог подумать такое?)

Какая Зинаида-олигарх ужасная! Жестокая.

Все думаю о правильных способах оплаты неблагодарных трудящихся, о жестокости бизнеса.

Зинаида-олигарх очень интересный человек, с одной стороны, безумно предана: если я вдруг пропаду, она примчится ночью, чтобы вытереть мне нос. В то же время я уверна, что если я вдруг пропаду и мне понадобится работа — она возьмет меня на работу н а п р о ц е н т, без зарплаты.

Она часто говорит «человек человеку не товарищ», или «чего это я должна жалеть разных людишек?», или «жалелки кончились».

Зинаиде-олигарху, умной-жесткой, нисколько не жаль нас, бедных людишек... Женщины в бизнесе более жесткие. Не потому, что они самки, жестокие от природы, а потому что...

Зинаида говорит: «Потому что каждую из нас кто-то обманул: кого-то бросил муж, кого-то предали так, что мама не горюй. Ты-то не знаешь, сценаристка хренова, а я-то, слава те господи, знаю... у меня у самой-то было как...»

У нее самой-то было так. Зинаида-олигарх в юности имела прозвище Пушок. Так ее называл муж. Муж был прекрасен во всех отношениях, кроме одного: он был утомительно гиперзаботлив. Зинаида не могла на улицу выйти, чтобы он не проверил, надела ли она теплые колготки, не велел надеть кофточку и не сказал «не забудь пописать перед уходом».

И когда он ей пластырь наклеивал на стертую пятку, она так царственно небрежно ногу задирала над ним, склоненным над ее пяткой. И взглядом зырк-зырк на нас, гордилась.

Вот так он ее держал в вате. Всегда говорил «я сделаю» или «я должен» и никогда «ты должна». И нам всегда говорил: «Зинуля нежная, как пушок» и называл ее Пушком, как котика, — в такой любовной вате никто не жил на свете — и когда выяснилось, что у Зины не может быть детей, сказал: «Пушок, это не у тебя, это у нас не может быть детей» (как положительный герой в сериале, ага).

И мы все по сравнению с Пушком были неудачницы: такой нежной ваты никто не мог дать... Если вы думаете, что он был какой-то тюфячок с пузиком — нет. Это Максим — очкарик и тюфячок, а он был косая сажень в плечах, ростом метр девяносто, баскетболист, занимался бизнесом. Зинка говорила: «Ань, мы с тобой о б е за ним, как за каменной стеной».

Ага, а потом он Зинку предал. Как говорила моя няня: «От это дал так дал».

Думаете, случилась какая-то противная гадость: ушел к ее подруге и стал называть подругу Пушком?.. Нет.

Это же были 90-е: бизнес, долги, бандиты... Не Зинкины, конечно, долги, а мужа. Бандиты пришли за долгами, и он на Зинку кивнул, сказал: «Пусть она отвечает. Вот с ней разбирайтесь, это ее квартира». (Зинка мне не сказала, как разбирались, только однажды, через годы, сказала: «Дуры те, кто болтает об изнасиловании, чего там — дала да забыла».) ...А муж в тот же день исчез.

Ох, Зинка и плакала...

Жить с Зинкой оказалось ужасно: повсюду валялись фантики от соевых батончиков.

Она так долго у меня жила, что у дивана, где она спала, отклеились обои, отсырели от ее слез... Я кричала: «Плачь в подушку, ты мне всю квартиру отсырела!» Чтобы ее ввести в ум или развеселить.

Тот бандит (которому «дать и забыть») потом помог Зинке бизнес открыть. Ох, чего только не было... и все это Зинка разрешила мне использовать в сериале!

Был у нас сериал про 90-е годы, тот бандит на этот сериал денег дал, типа в честь него кино. Он любил кино, в детстве мечтал стать артистом Тихоновым... Чего только не узнаешь о людях!

Как сценарист я думаю, что предательство (я разбираюсь в предательстве, я так много написала про это, в каждом сериале) бывает случайное. Вот Зинкин муж: а если бы не пришли бандиты, а если бы не пришли 90-е? Не было бы предательства!

И он бы всю жизнь говорил: «Зинуля, пописай перед уходом».

И не надо говорить, что он бы тогда к соседке ушел. Не обязательно.

Есть, конечно, те, кто ни при каких обстоятельствах не скажет «пусть она отвечает», но многих, очень многих лучше не искушать.

Зинаида-олигарх говорит, что в с е ее бизнес-подруги начинали бизнес с предательства. Предательства мужчин, кого же еще. И вот вам результат: все успешные, здоровые, в «Версаче», кровь с молоком.

Никто не должен знать, но Зинаида-олигарх до сих пор ночью плачет в подушку.

Она недавно у нас ночевала. Я ночью встала покурить и слышу — о-о, знакомые звуки. Зинаида плачет. Моя стенка отсыревает.

Подошла к двери, постояла-подумала, хотела сказать «не отсыревай мне стенку!» — и не вошла. Зинуля-Пушок ведь хочет, чтобы мы считали ее у с п е ш н о й. Чтобы мы думали, что это насилие над собой, из Зинули-Пушка стать Зинаидой-олигархом, прошло у с п е ш н о.

Я утром постучалась, заглянула, — а ее нет, только соевый батончик остался.

Все хотят быть успешными, и я хочу быть успешной, чтобы не просто строчка в Википедии: «Анна Коробова, известная...», и вопрос «А сейчас она кто?».

Чтобы быть кем-то — вот, начинаю новую жизнь, нанимаю учителей.

Решив, что буду платить в два раза больше, чем все, я успокоилась: теперь осталось найти, кому платить.

Я написала в Фейсбуке, что мне нужен учитель английского языка. Максим не пользуется социальными сетями. Говорит «этот твой Фейсбук» с неодобрением: возрастные изменения. Боится всего нового, как курица: Фейсбука, машин, телевизора.

На мой клич в Фейсбуке никто не откликнулся.

Я думала, что будет много кандидатур от друзей и знакомых, но нет: всего две кандидатуры.

Кандидатура 1. 40 лет, педагогическое образование, опыт работы.

Собеседование я решила проводить у себя дома: дома, за столом под абажуром, в окружении английских книг: чтобы моей будущей учительнице была понятна идея школы.

Я так ужасно волновалась перед ее приходом, что несколько раз меняла имидж: джинсы на брюки, брюки на платье.

Но как только она сказала первую фразу, я почувствовала себя дурой: зря переодевалась.

— Все, кроме рынка, — сказала моя будущая учительница. — На рынок ездить не буду, у меня новая машина, там припарковаться негде, и вообще сопрут.

Оказалось, она английского не знает. Ее специальность — возить детей по кружкам. Дети занимаются в кружках, она ждет, иногда читает. Поэтому мне ее прислали. Думали, мне нужен кто-то, кто иногда читает.

— Вот сейчас Сэлинджера читаю. Сэлинджер — это вообще... Читаю и думаю: зачем он все это написал? Не стыдно ему? Вот так все высасывать из пальца: про своего брата, про китайскую поэзию... Про его брата мне не интересно, китайскую поэзию я вообще не понимаю... Зачем я это читаю?

— Зачем же вы это читаете?

— Я так воспитана. Нет привычки бросать. Вот и читаю всякую дрянь. Нет, чтобы написать историю, пишут вообще ни о чем. Вот вы сценаристка, значит, пишете не как Сэлинджер, а настоящую историю, с действием?.. Значит, вы лучше, чем Сэлинджер. Давайте сразу договоримся: пылесосить — да, гладить — да, на рынок — нет.

Не то чтобы я хотела узнать, на чем она прирулила, просто из любопытства высунулась в окно посмотреть. BMW X5. Хорошая машина, жалко, если сопрут.

Кандидатура 2. Преподаватель университета (преподаватель английского на филфаке — это лучше, чем школьная училка).

Знаете, что она мне сказала? По телефону?

Иногда ведь случается, что сразу повезет? Находишь не просто учителя, а единомышленника. Маркс нашел Энгельса, Бойль Мариотта, Пьер Кюри Марию Кюри.

Она сказала:

— ...На филфаке проводилось исследование причин плохой успеваемости студентов, и знаете, какая причина на первом месте? Вот именно, низкая скорость чтения английского текста! Даже студенты старших курсов не умеют обращаться с большими массивами информации... Мы теряем поколение, студенты-филологи не знают ничего о мировой культуре, а что же знают остальные?

Кажется, я нашла единомышленника. Возможно, партнера. Возможно, предложу ей быть моим партнером. Важно (в таком бизнесе, как мой, — мы же не галоши делаем!), чтобы партнеры были единомышленниками, чтобы в одной струе...

Но ведь каждый партнер что-то вносит в бизнес. Я вношу очень много — идею и помещение школы, а она что?

Ну, она вносит себя саму. Я вношу идею и помещение, она — себя. Ну и что? То, что у человека ничего нет, не означает, что он не может стать партнером. Младшим партнером.

Да, пожалуй, младшим партнером будет достаточно.

— ...Вы задумали великое дело.

Так и сказала: «Вы задумали великое дело».

— Если у вас все пойдет, я уйду с работы. Уйду из университета, буду работать только у вас в школе. Какое чудесное название «Шалтай-Болтай», такие приятные коннотации, сразу понятен дискурс и концепция.

Я боюсь поверить, что мне так повезло: думаете, каждый учитель знает слова «коннотация», «дискурс» и «концепция»?

— ...Кризис — это хорошее время, чтобы заняться наконец тем, о чем я мечтала всю жизнь, — не рассуждать, не печалиться, а делать что-то красивое: перевести книгу, придумать новый курс, связать красивый шарф, научить детей бегло читать Диккенса. Спасти поколение. Как я благодарна вам за эту прекрасную идею, замечательно, что нас свела жизнь.

А я-то как рада! Когда ты не один, когда у тебя партнер, все сразу приобретает смысл и не так страшно!

Я сказала:

— Я тоже очень рада. Как это необыкновенно, что можно вот так, случайно, найти человека, который понимает и разделяет... Я очень-очень рада, что мы теперь вместе.

Она сказала:

— Увидимся в понедельник и все обсудим. До понедельника. Я позвоню в понедельник днем перед выходом из университета. Это будет около трех часов: заканчиваю лекцию, звоню и сразу к вам.

Господи! В понедельник! Увидимся и все обсудим. Я теперь не одна! Если все пойдет, она уйдет с работы. И будет работать только в моей школе. В нашей.

Нехорошо, что до понедельника она будет считать себя наемным работником.

В понедельник я скажу: «Хотите быть моим партнером?» Нет, это звучит как «Хотите быть моим мужем?».

Я скажу сухо: «Будет лучше для дела, если мы станем партнерами». В старом советском кино так говорят на стройках и заводах: «Будет лучше для дела...»

Вот так: предложу ей быть партнером. Не младшим, ни в коем случае не младшим.

Вот как бывает: вторая кандидатура — и сразу партнер. Это судьба.

В понедельник в три. Бывает ведь, чтобы сразу судьба.

Она не позвонила.

Не позвонила ни в понедельник, ни во вторник, ни в среду...

Я вела себя как классический влюбленный: в понедельник ждала, гипнотизируя взглядом телефон «позвони, позвони».

Во вторник мысленно ее защищала, искала причины, по которым она не может позвонить: нашла несколько.

В среду поставила вопрос о ней: она необязательная, увлекающаяся, истерик, самозванец, не преподает в университете.

В четверг поставила вопрос о своей идее школы: моя идея т а к плоха, что никто не хочет стать моим партнером.

В пятницу-субботу-воскресенье поставила вопрос о себе: я т а к п л о х а, что никто не хочет вести со мной бизнес, я никому не нравлюсь, даже по телефону. Что же я сказала, чем я ее обидела?..

Она позвонила в следующий понедельник. Сказала: «Ко мне приехали родственники из Воронежа, п о н и м а е т е?»

Как будто именно в родственниках из Воронежа есть сакральный смысл, как будто с ними забываешь обо всем...

— Я вам позвоню в понедельник после шести, — пообещала она.

Сейчас уже понедельник после шести. Она была то заторможена, то возбуждена... Неужели?..

Не позвонила. Запила?

ИТОГ НЕДЕЛИ:

* Пьющих психов — один.
* Партнеров, единомышленников — ни одного.
* Интересных фактов — один.

Надя рассказывала про какую-то свою знакомую: раньше муж ее любил, а теперь она его только раздражает, вообще стали чужие люди.

Я спросила, почему же так.

— Да как почему? А еще сценаристка! Раньше у них был секс, вот он ее и любил, а теперь он вошел в пожилой возраст, секса не хочет: ну, а раз секса нет, так и разлюбил. Такой наглый: сам же не хочет секса, и сам разлюбил... Если кому и сердиться, так ей: он же виноват, что нет секса.

Интересно-то как, господи...

* Сигарет — 190 (не так много).

Встречалась с Зинаидой-олигархом в кафе. Приходилось выходить курить на улицу, в кафе теперь нельзя курить, кроме как на веранде. Если бы сейчас было лето и мы сидели бы на веранде, сколько бы я выкурила, а?.. А так всего 190.

• Немного ошиблась: не 190 сигарет, конечно, а 19.

На фоне 190 сигарет 19 — совсем мало, выглядит как здоровый образ жизни.

ГЛАВА ТРИНАДЦАТАЯ
Коза и хорек

Сделала рентген легких.

Зачем, спрашивается, меня понесло делать рентген легких? Все эти модные веяния: «Если вы культурный человек, вы должны раз в год проходить осмотр всех врачей» и бла-бла-бла. Но действует.

Я имею в виду, что все эти бла-бла-бла влияют на нас. Проходишь всех врачей как миленький.

Зачем, спрашивается, меня понесло делать рентген легких? Жила бы счастливо...

— У вас тут... Сделайте компьютерную томографию, — сказал рентгенолог, рассматривая снимок.

— Зачем? — спросила я беззаботно.

— Лучше сделать, чтобы исключить... У вас тут...

— Что исключить? Что? Что у меня т у т?.. А?.. Вы хотите сказать... Вы же не хотите сказать... а?.. Вы не знаете или не хотите сказать?.. Нет, скажите, нет, сейчас! Ой! Простите, кажется, меня тошнит.

Представьте, как тошнит, как страшно.

Какие мысли.

Вернее, одна мысль.

Одна, но занимает всего человека: в глазах темно, в ушах звенит, в голове шумит, в горле комок, в груди все сжалось, в животе страх, в ногах слабость.

Мне показалось, что я сейчас упаду: как коза. У домашних коз есть такая особенность: в результате паники мышцы оказываются парализованными на десять секунд, и коза падает на бок. Упаду, как коза, в рентгеновском кабинете.

— У вас тут затемнение. У нас тут томографа нет. Я вам советую: не затягивайте. Сделайте компьютерную томографию поскорее.

— Поскорее?..

Парализованная коза мгновенно пришла в себя.

И превратилась в хорька.

Когда хорьки чем-то взволнованы, они совершают серию безумных прыжков вбок. Я помчалась вон из рентгеновского кабинета, как хорек, вперед и вбок: гардероб — такси — гардероб — компьютерный томограф. Это такой аппарат с крышкой, человека увозят и закрывают крышкой, и он там лежит и прощается с жизнью.

ИТОГ ДНЯ:

• Невыкуренных сигарет — 17—19 приблизительно (трудно сказать точно, сколько бы я выкурила, если бы не бросила курить).

- Невыкуренных перед сном сигарет — 2 (это точная цифра, я всегда курю вечером у окна последнюю сигарету, а потом еще одну).
- Благодарных мыслей: спасибо, Господи, что затемнение оказалось «ничего страшного, но курить больше нельзя» — сто тысяч миллионов.

Ну что же, вот я и не курю.

37 лет курила, а теперь не курю. Никогда не думала, что бросить курить так легко: просто не курить, и все.

Настроение тихое. Как бывает у человека после сильного стресса: на него напал лев, открыл пасть, зарычал, человек закрыл глаза и приготовился быть съеденным, — и вдруг — раз, врач говорит «у вас все в порядке».

Человек понимает: это вовсе не означает, что лев не придет никогда. Думает «пока пронесло, пока уф-ф...», и от этого у него тихое благостное настроение.

И тут человек дает зарок больше не курить: лев-то может разинуть пасть в любую минуту... и он хочет этого льва задобрить.

И вот. Человек не курит. Как будто он и не курил никогда.

Как будто не вытянул после первой лекции на первом курсе тонкими цепкими пальцами сигаретку «ТУ 134», как будто не курил «ТУ 134» — и «Родопи», и «Мальборо» у спекулянтов по пять рублей пачка, и тонкие коричневые сигаретки «Моге»... как будто всю жизнь не курил...

Договорилась с Максимом, что теперь у нас дома зона «nicotine-free»: он не курит нигде (даже в туалете), с камина убираются сигареты и пепельницы. Даже моя любимая старинная серебряная пепельница, которую я так люблю держать в руке, когда курю. Поскольку я больше не курю.

• Значительных взглядов, брошенных на Максима — 10—12.

Взгляды напоминают, что сегодня меня чуть не сожрал лев, поэтому я больше не курю. Что «бросить курить» — это трудное дело, к которому муж несожранного должен проявлять уважение. Приносить несожранному чай. Смотреть на него с жалостью. С почтением.

И что мне бросить курить — это наше трудное общее дело.

ГЛАВА ЧЕТЫРНАДЦАТАЯ
Не курить легко

Бросать курить неправильно.

«Я бросила курить» звучит как будто я дала честное пацанское слово, что больше никогда не буду курить, провалиться мне на месте.

Я не могу б р о с и т ь к у р и т ь: это давление, а я ненавижу, когда на меня давят!

Ненавижу что-то обещать!

Ненавижу что-то обещать себе.

Обещание, данное другим людям, неприятно нарушать, хотя всегда находится много оправданий. Обещание, данное самой себе, еще хуже: нарушишь и чувствуешь себя... кем? Правильно, на букву «г».

Поэтому я не «бросила курить» (это обещание), а «перестала курить».

«Я перестала курить» звучит как будто «Минуточку, я вам ничего не обещала. Я свободный человек: хочу — курю, хочу — перестала, хочу —

171

опять курю... Вот еще, буду я давать обещания! Я что хочу, то и делаю, отстаньте».

Я не курю, я перестала курить. Мне это очень легко.

Другим это тяжело, у других нет воли.

Но надо продолжать бизнес. Хотя очень трудно продолжать бизнес без сигарет. Потому что курение — это что?.. Это момент сосредоточения на себе, на своих мыслях.

Кроме того, у курящих не бывает Альцгеймера.

...Но надо продолжать бизнес без сигарет.

И вот моя кандидатура 3.

Ну, теперь уж мне — ура! — повезло! Она — лучший учитель в городе, работает в самом престижном Центре по обучению детей английскому. Чтобы записаться туда, родители стоят в очереди.

Центр находится напротив моего дома, вход с Фонтанки.

Мне порекомендовали ее, а ей порекомендовали меня.

У нее требование: она будет у меня работать в удобное для нее время.

У меня просьба: можно ли мне тихо посидеть на задней парте во время ее занятия в самом престижном Центре и посмотреть, как она учит детей английскому.

Мы вели переговоры через знакомых, и мне передали как будто шифровку: «Центр. В коридоре. Среда, 12.00. Не опаздывать».

Моя знакомая, что порекомендовала мне эту учительницу, сказала: «Ты ее сразу узнаешь, она такая... настоящая первая учительница» и «Если хочешь, приходи, покажу тебе фотографию». Эта моя знакомая, старая и одинокая, всегда говорит небрежное «если хочешь», но это показная небрежность, на самом деле она обрадуется, если я приду.

Я пришла. Она показала мне фотографию.

Я думала, она покажет мне мою будущую учительницу, но она показала мне с в о ю первую учительницу на фотографии 1936 года: юбка, кофта, волна вьющихся волос над чистым лбом... Хорошее лицо.

Как было сказано в шифровке, я пошла в Центр в среду, к двенадцати.

Я сразу ее узнала! Юбка, кофта, волна вьющихся волос над чистым лбом, хорошее лицо. Первая учительница в 2016 году выглядела в точности как первая учительница в 1936-м, восемьдесят лет назад! Говорит настойчиво. Глаза. Такая... учительница. Вьется вокруг с настойчивым шепотом, и ты сам не замечаешь, что уже открыл тетрадь и написал «Двадцать первое января. Классная работа», и руки на парте, ждешь дальнейших распоряжений.

Я подошла к кабинету и приникла ухом к двери: «...Возьмите в правую руку карандаш... найдите в первой строке букву «D». ...Подчеркните все буквы «D». ...Найдите букву... Подчеркните букву...»

Я заглянула в класс, сделала вид, что ищу своего ребенка и плохо знаю, как он выглядит, — и быстро рассмотрела всех детей: они спали с открытыми глазами и карандашами в руках. Им было скучно. Хорошие способные дети: шестилетние, а уже умеют спать на уроке с открытыми глазами.

После урока я познакомилась с настоящей первой учительницей: оказалось, у нее очень твердые взгляды на жизнь.

Одна часть моей личности считала себя ее ученицей, слишком кивала головой, преданно смотрела в глаза, а другая часть моей личности (помните, робкая непутевая Лидка и уважаемая Лидия Сергеевна) обсуждала методику преподавания.

— Линейка в левой руке, карандаш в правой — это прекрасно... Но у меня немного другая концепция. «Шалтай-Болтай» — это с ч а с т л и в а я школа: чтобы дети читали английские книжки для счастья, запоем, чтобы их не могли дозваться обедать.

— Читать запоем? А как же учеба?

Это прозвучало недоброжелательно. Как будто чтение и учеба — соперники или даже враги. Как будто м ы с н е й соперники.

Не буду обращать внимания. Но это я решила, а одна часть моей личности, независимая, сказала ей прямо:

— Но ведь прошло уже полгода! А они все еще подчеркивают букву «D». Полгода потрачено на то, чтобы отбить охоту к буковкам навсегда, заставить особенно ненавидеть английские буковки. А мы за месяц занятий научим читать, чтобы дети уже прочитали «Три поросенка».

— Глупости.

— Наши дети будут подготовлены к жизни лучше других. Читающий ребенок защищен и счастлив, у него есть весь мир и коньки в придачу.

— Глупости. Нет таких методик, чтобы читать запоем. И при чем здесь коньки? Глупости говорите.

Ох. Не знаю, как вы, а я очень обидчивая: я цитирую Шварца, а она называет Шварца глупостями. Я собираюсь платить ей зарплату, а она называет мою методику глупостями. Она ведь не знает, что у меня н е т методики.

Интересно то, что произошло потом. Мне позвонила знакомая и передала послание от «первой учительницы»: «Согласна работать у вас, так как заинтересована в деньгах».

О-о-о!.. Все плохо. И не у кого просить совета.

ПОУЧЕНИЕ. Если все плохо, поищи в плохом хорошее — и найдешь!

Вот — хороший совет от самой себя: Аня! Не нужны тебе лучшие учителя города и фрики от знакомых. Не будь дурой, Аня, возьми свою судьбу в свои руки, обратись к профессионалам.

Конкретно, на сайт «Репетитор СПб».

На сайте есть сведения о каждом репетиторе, как на рынке рабов: фотография, образование, опыт работы, отзывы предыдущих владельцев.

Совершенно унизительная, на мой взгляд, манера — помещать отзывы. На этом сайте вообще представляют, что такое репетитор?!

Репетитор — это:

— входит, в прихожей мамаша жует чипсы, говорит «хрр... бахилы, хрр... наденьте», — как будто живет в Эрмитаже;

— ребенок во время урока шныряет к холодильнику, играет в игры в телефоне;

— уходит, в прихожей мамаша отдает деньги за урок с угрожающим видом «смотри у меня, дармоед, если у нас за контрольную будет двойка...»;

— и оба, мамаша и ребенок, считают репетитора личной прислугой (репетитор-то деньги в руки получает, как мойщик окон).

И что же, по мнению сайта, обсыпанная чипсами мамаша разбирается в методиках преподавания? Она напишет на сайте свое «бе-ее!», а мы верь ей? Как мне выбрать учителей?

Если бы я занималась этим бизнесом, я бы сама проверяла дипломы и работу репетиторов, сама писала бы отзывы на сайте, моим отзывам можно было бы железно доверять... Я бы...

Но не могу же я сама заниматься всем — и школой, и сайтом! Придется мне отделять овец от козлищ на сайте «Репетитор», руководствуясь здравым смыслом.

В принципе руководствоваться здравым смыслом легко.

Ну вот, пожалуйста.

«...В 1978-м окончила Ивановский педагогический институт». Мне как опытному сценаристу виден весь сценарий ее судьбы: окончила, вышла замуж в Питер, развелась, работает в школе. Нормальная училка. Лет ей — около ста. Ни за что не станет учить детей так, как я ей скажу. Только я отвернусь, а она им строгим голосом: «Возьмите карандаш в правую руку...»

Или: «...Окончила филфак СПбГУ и факультет международных отношений СПбГУ»... Ну, не знааю... Что же она тогда на сайте репетиторов тусуется, а не в международной корпорации?

Плохое впечатление производят те, кто пишут, что «предлагать учеников только в моем районе».

Еще хуже — те, кто требует, чтобы было не более 40 минут от метро такого-то... Так и хочется сказать: «А если 43 минуты от метро, Зуля-капризуля?»

Хорошее: те, кто пишет «окончила Абаканский университет», или Кузбасскую академию, или Новгородский государственный университет им. Ярослава Мудрого. Это точно не вруны и не очковтиратели, — кому придет в голову так оговорить себя — «окончила Абаканский университет». У меня в одном сериале упоминался Абакан. Это далеко.

Плохое: те, кто пишет «готовлю по всем методикам».

Хорошее: те, кто на фотографии веселы.

Плохое: те, кто слишком веселы, на фотографии катаются на лыжах с улыбкой от уха до уха, едят шашлыки, поют под караоке.

Плохое: те, кто уныло смотрят в объектив печальными глазами дикой газели.

Хорошее... и так далее.

ИТОГ ДНЯ:
• Мучений из-за отказа от курения — ни одного вообще.

Не курить легко.

...Вот только одно — это сладкое движение, когда достаешь сигарету из пачки, пальцы немного подрагивают и внутри уже все поет и предвкушает — сейчас, сейчас...

И зажигалка — пых! В это мгновение кажешься себе властелином огня и счастья.

И первая затяжка... Мне не нужен никотин, у меня нет химической зависимости — мне другое нужно: вот этот миг сосредоточения, заглядывания в себя.

Возможно, у меня е с т ь никотиновая зависимость, иначе отчего мне хочется кричать, вот так: «А-а-а!»?

И — очень важное. Курение — это молодость, это свобода, это я юная, это «я курю при маме», а не тетя, которой врач сказал «больше нельзя курить» (нужно еще проверить, что это за врач, может быть, это плохой врач).

Я всегда курю, когда я:
— расстраиваюсь,
— радуюсь,
— пугаюсь,
— задумываюсь о любимых людях, которых уже нет со мной,
— ощущаю острый приступ счастья,
— несчастья,
— чему-нибудь сильно удивляюсь,
— чего-то сильно хочу и не получаю немедленно.

В этой связи непонятно, как вообще живут некурящие люди.

Да, и еще: я курю для усиления мыслительного процесса. Во время курения я начинаю лучше думать, черт подери! И некоторое время потом лучше думаю, как будто наступает просветление.

Интересная мысль: все это выглядит так, будто некурящие проводят всю жизнь в некотором интеллектуальном и эмоциональном тумане.

Но есть и плюсы моего положения (что я теперь не курю). Можно думать: конечно, все под Богом ходим, но в с е - т а к и... Если не вдыхаешь вред каждую минуту, то в с е - т а к и...

ГЛАВА ПЯТНАДЦАТАЯ
Лежу на сохранении в кофейне «Старбакс»

Волнуюсь, к о н е ч н о, никогда в жизни не нанимала людей на работу.

Максим только и делает, что нанимает людей: кого-то нанимает, с кем-то договаривается (с режиссерами, сценаристами, актерами-звездами), кого-то приглашает (совсем звезд). Ему и нанять, и уволить легко: он так — раз, и «ну, увидимся».

...Если подумать, пусть они волнуются (кандидаты). А мы-то — работодатели, нам о чем волноваться?

Если подумать, волнуюсь еще больше, вся дрожу.

Собираюсь вести себя сдержанно, не улыбаться (или улыбаться н е м н о г о), не предлагать сразу дружить.

За спокойной сдержанностью собираюсь припрятать парочку вопросов типа «Чего вы ждете от работы с нами?».

Собираюсь называть себя «мы».

А также использовать несколько тестов типа «Голубь, ласточка, птица, чайка — быстро скажите, какое слово лишнее» и выскочить с ними из-за угла, когда кандидат расслабится.

...Чайка?

Да понимаю я, понимаю, что птица. Но вдруг чайка?..

Следуя правилам тайм-менеджмента, а также от лени я назначала встречи с учителями одну за другой, в одном и том же месте: в нескольких минутах от дома, в кофейне «Старбакс» на Невском.

На каждого претендента я отводила 15 минут, но этого оказалось мало: следующий был уже тут, а предыдущий еще тут. И они смотрели друг на друга ревнивыми глазами, а я на них с выражением «я люблю вас одинаково».

Пришлось немного увеличить время интервью — до полутора часов.

Все претенденты начинали одинаково: научить детей английскому языку — это раз плюнуть, так что не будем об этом больше говорить. Ну, а затем рассказывали свою жизнь.

У некоторых была сложная жизнь.

Я все не могла понять, что напоминают мне эти собеседования по найму за чашкой кофе в «Старбаксе», что-то из много лет назад, из советской жизни.

И поняла! Проводить интервью по найму сотрудников в мою английскую школу было совершенно то же, что лежать в роддоме на сохранении. В палате по очереди рассказывают про мужей, любовников, свекровей, все немного возбуждены, и все улучшают или ухудшают картину своей жизни, рисуя ее более драматичной... такое сконцентрированное женское.

Не думаю, что я виновата: ни одному из претендентов я не задала вопроса: «Скажите, пожалуйста, ваш муж подлец?» и «А свекровь?». Или «Как у вас прошел развод?», или «Уточните, сколько вы сделали абортов?».

Я проводила настоящие собеседования, я правда вела себя как школа!..

...Ну, пожалуй, я все же совершила одну ошибку.

Одну, но зато повторяла ее с упорством идиота: я представлялась Анной, по имени.

«Анна» — это не директор школы. Соседка по палате в лучшем случае.

«Анне» нужно все про себя рассказать (муж, свекровь, аборты). Многие соискатели называли меня Анечкой, а одна — Анькой. Анька — это не директор школы.

А сами, между прочим, представлялись по имени-отчеству!

К концу первой недели интервью я стала представляться «Зинаидой Викторовной». Я думаю, совершенно понятно, почему я играла, что я Зинаида-олигарх: это придавало мне уверенности.

И уже почти научилась холодному отрывистому: «Образование? Опыт работы?»

И не моргнув глазом задала одной милой блондинке вопрос: «Какой у вас педагогический стаж?»

ПОУЧЕНИЕ. На собеседовании не вселяйтесь в другого человека.

Эта блондинка сказала, что муж ей неверен. И сейчас, в «Старбаксе», она смотрит на пары за столиками и думает: вот пара, у них все хорошо, а меня не любят... чем я хуже?.. И так горько становится.

Я сказала, что нужно быть сильной, растить в себе независимость, найти в себе себя: может быть, религия, может быть, философия, спорт или просто способ жить, выполняя все правила... И посмотрела вокруг, на пары в кафе, и так горько стало: вот пара, у них все хорошо, а ее не любят... чем она хуже?.. И — так горько стало. Я о ч е н ь расстроилась. Вот зачем я в нее вселилась?!

Я уже хотела взять ее на работу и для порядка все-таки задала вопрос: «Голубь, ласточка, птица, чайка — какое слово лишнее?» Она сказала: «Чайка, она же морская птица».

Если человек испытывает трудности с категоризацией, не допер, что общий признак предпочтительней частного, то на фига мне ее педагогический стаж, двадцать пять лет или сто?.. Могла бы сказать «голубь», он толстый.

...Я все равно хотела ее взять, но тут выяснилось, что она хочет выучить английский. То есть пока не знает, но собирается выучить, обучая детей. Как бы вместе с ними.

Вот так и вселяйся в блондинок.

Собеседования происходили в течение недели. Сколько же раз я сказала «Добрый день, я Анна...»? Наверное, 17 раз. И 11 раз: «Добрый день, меня зовут Зинаида Викторовна».

И что же?

Ни-че-го.

«Англичанка» в обычной, неязыковой школе — это диагноз. Язык подзабыла, внутренний мир сложней, чем у остальных училок, одинока со своей беспомощной любовью к Шекспиру, уважением в школе не пользуется (английский считают второстепенным предметом). Часто красится в блондинку.

Я за неделю создала лучший в городе банк данных, в котором были все не подходящие мне учителя Санкт-Петербурга: самозванцы без дипломов, разжалованные за непрофессионализм неудачницы, тетки с экономическим образованием, считающие, что учить детей английскому может каждый, учителя-расстриги, замученные ненавистью к школе и детям (бедные, понимаю их и жалею), а также симпатичные лентяйки, не желающие трудиться в государственном учебном заведении и считающие, что будет здоровски подвизаться в какой-то левой школе у какой-то дуры.

И выпила сто литров американо (в модной кофейне «Старбакс» такие большие чашки, как будто это модная кофейня для слонов).

И еще кое-что, о чем и говорить-то неловко.

Никто, ни один человек, не спросил меня, что же это за методика, позволяющая за месяц научить детей бегло читать по-английски. Хотя у меня был готов ответ: методика очень секретная, потом расскажу, какая именно.

Никто не спросил, что будем читать с детьми — «Гамлета» или волшебные сказки. И будем ли мы работать с логопедическими детьми — а ведь это самое главное! Потому что в школе детей учат одновременно звукам и буквам, и тот, кто плохо произносит звуки (почти все дети), не имеют шансов научиться бегло читать!

Никто не спросил меня ни о чем, кроме «сколько вы платите?»!

И еще кое-что, о чем и говорить-то неловко.

У меня частная английская школа. Из коммерческих соображений хотелось бы, чтобы родителей встречал учитель приятной внешности. А вот с ярко-красными накрашенными губами, перманентом, в перекошенной юбке не хотелось бы…

Образ идеального учителя, отвечающего слегка пониженным требованиям, рисовался так:

— не говорит все время про аборты,

— не повесил на сайте свою фотографию тридцатилетней давности,

— не кролик-зануда,

— согласен учить по моей оригинальной методике,

— все-таки хоть сколько-то работал в школе,

— недолго работал в школе (считается, если учитель проработал в школе больше десяти лет, то жалости, понимания и любви к детям от него не дождешься).

Неужели я слишком многого прошу, Господи?

Мне лично кажется, что я не прошу ничего особенного.

Промежуточный итог найма учителей:

— мыслей, что придется учить детей самой — одна,

— мыслей, что лучше умереть, чем учить самой — много,

— мыслей, что можно и самой, ничего сложного: запру, а перед приходом родителей отопру — одна,

— звонков Надиному мужу в отчаянии — один. В отчаянии была я, не Надин муж.

Я спросила его, нет ли у него хороших учителей английского, он сказал «а то!». Предложил мне свою племянницу, сказал, что со мной будет честен: она н е н а с т о я щ и й учитель, он использует ее как сиделку и как дезинфектора, но если мне нужно, она может быстро выучить английский.

Уставшему от бизнеса человеку нужно расслабиться.

Бывает, что уставший от бизнеса человек захочет подсчитать свои доходы от бизнеса прямо в кафе, на салфетке. Свое, так сказать, вознаграждение за тяжкий труд.

И что конкретно он на это вознаграждение купит.

Вот моя салфетка из кофейни «Старбакс».

Одна группа — 10 чел.

Нужно решить наконец, какова же стоимость курса.

Вот сейчас и решу: стоимость курса 21 тыс.

21 тыс. — это хорошая цена. Средняя цена по городу 500 руб. за учебный час, а у меня будет 4 учебных часа.

Значит, 21 тыс. — хорошая цена.

Итак, 10 чел. на 21 тыс. = 210 тыс.

Групп будет 2 или 3 (каждый день утром, днем и вечером).

210 тыс. на 3 группы = 690 тыс. ...630 тыс.

И ЭТО ТОЛЬКО ЗА ОДИН МЕСЯЦ!

А ЗА ДВА МЕСЯЦА БУДЕТ МИЛЛИОН.

Миллион, миллион!

Что можно купить на 630 тыс.?

Можно сделать пласт. опер.

Можно будет сделать пласт. опер. за гран.

Но ведь я еще не решила окончательно, хочу ли я пласт. опер.

Глаза увел. Щеки уменьш. Нос все равно останется. Нужно думать.

Но если не пласт. опер., то куда девать деньги?

Каждый месяц ездить на неделю за гран.?

Ездить за гран. в 58 звезд, то есть в 5 звезд.

Вот черт! Забыла кое-что отнять: зарплату учителей и администратора, налоги, Надю (или уборщицу, уборку-то нужно делать!).

Еще пособия, доска, мел, дипломы...

Все равно много. Еще останется на круиз по рекам Сибири. С барышей-то можно. (Никто не знает, откуда эта цитата, и я тоже. Из «Бесприданницы»?)

Возможно, это покажется неправдой: взрослый человек, предприниматель, пишет на салфетке в «Старбаксе» такие глупости. Раздумывает, куда пустить прибыль: сделать пласт. опер. за гран. или ездить за гран. в 5 звезд.

Но мы ведь ничего не знаем о других! Откуда нам знать, что делают другие люди наедине с собой?

Что пишут в своих ноутбуках мужчины в костюмах за соседними столами? «Прошу тебя, Дедушка

Мороз, подари мне «Ауди»? Или записываются на конкурс «Кто первый снимет с носа спичечный коробок без использования рук»? А может быть, меняются наклейками или заказывают балетную пачку с доставкой на дом?

Я знаю человека, который приходит домой, надевает балетную пачку и танцует. Крупный мужчина, мог бы танцевать в легинсах, но он любит в пачке. Я знаю человека, который заходит в ванную, смотрит на себя в зеркало и кричит: «Одного меня оставили, а-а-а!» — так он сам себе жалуется.

Оба они очень успешные в бизнесе люди (когда я говорю «очень успешные», я имею в виду «очень успешные»). ...Интересно, тот, в пачке, он перед зеркалом танцует или ему все равно где?.. А может быть, я не в с е о нем знаю, может быть, он еще пляшет со шваброй летку-енку: там-там, там-тарам-тарам.

Откуда нам знать, что делают очень успешные в бизнесе люди наедине с собой?..

Я вот пишу на салфетках, как потрачу прибыль.

Конечно, я не вложила бы всю прибыль в пласт. опер. за гран. Некоторую часть прибыли я вложила бы в развитие бизнеса: в карандаши, цветные мелки. Заранее не знаешь, сколько чего понадобится: пусть будет запас.

ИТОГ ДНЯ (на самом деле итог недели):
- Не пишу ничего уже с полным правом: я ведь не курю.

Писать для себя, когда нет никакого срока, очень сложно. А теперь я вообще не могу написать ни строчки — как работать и не курить? Голова не светлая, не ясная... говорю же, у некурящих никогда не наступает ясность.

Когда я пишу, я всегда курю. Как всегда было: напишу удачную сцену или удачную фразу и выйду покурить. А теперь — что мне делать? Если бы я пила, я могла бы выйти и опрокинуть рюмочку...

Я подолгу работаю, обычно по пять-шесть часов, я бы к концу рабочего дня уже напилась. И заснула. Получился бы такой цикл: работа — сон, работа — сон. Пьющим легче бросать курить.

О, е с л и б ы я пила!.. Но я не пью.

- Не сказала маме, что перестала курить.

Но потом не выдержала и сказала.

Мама сказала: «Ну, молодец», что было чрезвычайно обидно. Никто не понимает, что для меня не курить — это крушение мира и перемена участи. Мне кажется, что это н е я.

Максим тоже не понимает. Он теперь не курит дома, думает, что это подвиг. Думает, что у меня сильная воля. Не понимает, что у меня перестройка организма и личности, что я уже не я, что я борюсь изо всех сил...

А мог бы и понять.

Сам-то он сколько раз бросал курить... раз тридцать — тридцать пять. Как заболеет ангиной, так и бросает: обвяжется шарфиком и выбросит из дома все сигареты. Трус.

Как шарфик снимет, так пойдет и купит — сначала пачку, а потом уже и блок. Слабовольный трус.

Как узнает, что кто-то из друзей заболел всерьез, тоже бросает. Трус.

Кажется, я его не люблю.

Я его даже ненавижу.

Возможно, это возрастное. Надя говорила мне, что так бывает у очень пожилых супругов, за восемьдесят: жена вдруг начинает н е н а в и д е т ь мужа. Но мне не за восемьдесят: если бы мне было за восемьдесят, я бы уже снова курила! А я все еще не курю.

Возможно, это от того, что я не курю.

Ходила к другому врачу: хотела проверить первого врача. Правда ли, что курить вредно. Может, он скажет невредно, и я опять стану курить.

Врач сказал, что он тоже недавно перестал курить.

— И что вы делаете, когда другие курят?

— Я н е к у р ю.

Понимаю. Курить — это процесс, и не к у р и т ь — тоже процесс.

— Мне плохо. Понимаете, я не чувствую, что я — это я. Курить — это юность, это свобода...

— Начнете снова курить, когда вам исполнится 80 лет.

Это звучало утешительно: начну курить, когда мне исполнится 80 лет. В 80 лет я, юная, свободная, снова начну курить.

Скорей бы.

- Перед сном каждый день пересчитываю свои доходы: 210 тыс. на 3 группы = 630 тыс. минус налоги и зарплаты. Каждый день получаются разные числа. Но все равно достаточно, чтобы считать себя настоящим предпринимателем.
- Преподавателей в моей школе — ни одного.

ГЛАВА ШЕСТНАДЦАТАЯ
Живу на кладбище, гоняю нечисть

Облом один, но ух какой капитальный! Я н е м о г у нанимать преподавателей.

От нечего делать посмотрела в Интернете ко-е-что по бизнесу, и вот: ИП без лицензии не может нанимать преподавателей.

Я — ИП, мне нельзя нанимать преподавателей. Это облом.

И тут не скажешь: «Ерунда, видали мы такие обломы по сто раз в день».

Не скажешь, что буду решать проблемы по мере поступления: сначала найду преподавателей, а потом решу, могу ли я их нанять.

Это такой облом, который делает невозможным мой бизнес.

Потому что я не намерена отвечать по всей строгости закона.

Я попыталась точно узнать, что говорит закон: «Определяя количество сотрудников, работодателю необходимо четко знать, что имеется в виду не общее количество принятых работников, а сред-несписочная численность сотрудников, определя-емая за отчетный налоговый период», но не совсем поняла.

Подумала: «Ладно, не последняя же я тупица, это не может быть труднее, чем интегралы в моей диссертации».

«...Имеется в виду не общее количество приня-тых работников, а среднесписочная численность сотрудников, определяемая за отчетный налого-вый период».

Это может быть труднее.

«Обязательной процедурой является реги-страция ИП как работодателя в Пенсионном фонде. Для этого необходимо обратиться туда в течение 30 дней с того дня, когда было заклю-чено первое трудовое соглашение. Не позднее 10 дней со дня, когда был заключен первый тру-довой договор, обязательно должна произойти регистрация ИП в Фонде соцстрахования в ка-честве работодателя, так как он заключает с ра-ботниками трудовые договора и нанимает их на работу».

...Название моей диссертации «Математиче-ское моделирование массообменных процессов в системе «жидкость — твердое тело» (не такое уж глупое). Так почему же я ничего не понимаю?

Потом я поняла, почему я ничего не понимаю: в законе не было ясности.

Требуюсь Я!

Скажу честно, я сдалась. Заплакала. Обратилась к юристу.

Юрист сказал, что я н е м о г у нанимать преподавателей, но я м о г у нанимать преподавателей. Нужно схитрить: как будто я нанимаю не преподавателей, а кого-то другого. Оформить преподавателей... Не знаю, кем оформить преподавателей, и вообще боюсь. И ничего у меня не получается, и сейчас я буду долго и со вкусом плакать.

...«Прием работника на предприятие оформляется приказом. Заводится личная карточка сотрудника (форма Т-2). Работнику выдается трудовая книжка».

Хорошо, где мне взять трудовые книжки?

Кажется, трудовые книжки продают в метро.

Кажется, они ненастоящие.

«В качестве работодателя на ИП возлагается обязанность осуществлять такие выплаты:

— уплата подоходного налога с заработной платы сотрудников,

— уплата страховых взносов на обязательное пенсионное и медицинское страхование,

— уплата страховых взносов на социальное страхование».

Эй, ау, вы там не ошиблись? Это все я должна буду платить?

13 процентов с зарплаты — я, пенсионные взносы — я, медицинскую страховку — тоже я?

А почему все я?! ...Нечестно, что в с е я.

На человеческом языке все эти «уплаты» означают: о пласт. опер. за гран. можно не мечтать.

Да что там «пласт. опер. за гран.», при таких законах у ИП не хватит даже на то, чтобы сделать нос у районного хирурга.

Ну и зачем же мне тогда заниматься бизнесом?

Лучше я сама буду учителем — наемным работником: пусть кто-то другой создает школу, придумывает методику, нанимает меня, платит налог с моей зарплаты, а я буду лежать на печи да покуривать с минимальной ответственностью.

Иногда, свесившись с печи, напомню ему по своей доброте: «Эй, ты про взносы-то на меня в Пенсионный фонд не забыл?»

...Облом? Да уж, черт возьми, облом. Как говорил один персонаж в фильме ужасов, желая подчеркнуть свою неудачную жизнь: «Теперь живу на кладбище, гоняю нечисть».

ПОУЧЕНИЕ. Лазейка всегда найдется, честное слово.

Лаз — это что-то большое, там достаточно места, чтобы перемещаться солидно, с вещами, а сквозь лазейку, заросшую крапивой и заваленную камнями, протискиваешься (если представить себя собакой), виляя блохастым задом.

Кто-то скажет: ободряющих-то слов нам говорили немало, но что конкретно делать?..

Конкретно я поступила так: попросила прощения у Максима. Мысленно, конечно. Сказала ему: «Я была неправа, когда говорила «Бизнес — это легко, просто нужно больше отдыхать». А ты был прав, когда на мой вопрос «Ну что ты все время нервничаешь?» отвечал «Да так, то одно, то другое».

То одно, то другое... Мне нельзя нанять преподавателей... нельзя преподавателей. Но «ля» можно! ПреподаватеЛЯ.

Найму одного преподавателя. Он может работать у меня не как «среднесписочная численность сотрудников, определяемая за отчетный налоговый период», а как будто просто любит английскую литературу, детей, будущую элиту. Как будто разрабатывает методику Анны Коробовой «Обучение чтению на английском языке». И никакой ФССХРРР ко мне не придерется!

Тем более этот преподаватель — кто?

Правильно. Я.

Вот только барыши...

Доходность моего бизнеса резко падает: с одним преподавателем у меня может быть одна группа.

А вот и расчет на одну группу:

8 чел. умножить на 21 тыс. минус моя зарплата (я учитель, администратор, ассистент учителя, уборщица), минус налоги (я — ИП, должна платить налог 6 процентов), минус пособия (книжка в подарок каждому ребенку) = 80 тыс.

Еще необходимо учесть аренду квартиры. Это бизнес, все должно быть по-честному.

Аренда моей квартиры на три часа в день стоит 90 тыс. в месяц: она очень большая и находится на Невском, в бывшем ЗАГСе.

Но если я сделаю скидку 10 процентов, то будет меньше — 81 тыс.

Тогда так: 80 тыс. — 81 тыс. = —1.

Конечно, я расстроилась, получив прибыль минус одну тысячу, а кто бы не расстроился...

Но я уже не могла расстаться с идеей школы: привычка все доводить до конца и тому подобная чепуха, важная для меня.

И то, что я не курю.

Мне так плохо из-за того, что не курю. Если еще и со школой не получится, мне грозит депрессия.

Конечно, это было н е с о в с е м т о. Я хотела растить элиту, хотела, чтобы кто-то другой ее учил, не я, — а я бы только иногда выходила и смотрела, как она растет, не более того...

Я хотела иногда смотреть, как дети (светлые лица, умные глаза) читают Диккенса под абажуром. А теперь что?

Теперь что?! Туалет мыть? Мне — туалет мыть?

Теперь вот: «Если вы намереваетесь привлечь к работе в своем ИП других педагогов, то необходимо получить лицензию, в случае если вы намереваетесь самостоятельно оказывать образовательные услуги, без привлечения иных лиц, то лицензия будет не нужна».

Учителем, ассистентом учителя и администратором буду я. Школьной нянечкой тоже буду я.

Ну, и конечно, можно поинтересоваться, о чем я раньше думала. Можно сказать: сначала нужно было пойти к юристам, узнать, как оформляются сотрудники, можно ли нанимать учителей, сколько нужно за них платить в разные фонды, какие есть способы обойти закон...

Все так. Но ведь каждый человек действует в согласии со своими жизненными принципами!

Мой жизненный принцип: начнем, а там посмотрим.

ПОУЧЕНИЕ. Не будем заморачиваться экзистенциальными вопросами: начнем как есть, а там посмотрим, кому мыть туалет.

ИТОГ ДНЯ:

- Честно?.. Все хорошо.

  Все просто отлично!

  Вот если бы я приняла решение закрыть проект из-за законодательства или нежелания мыть туалет, это была бы неудача. Настроение было бы плохое.

  А сейчас, невзирая на вероятное мытье туалета, — хорошее, просто отличное!

  И даже лучше, что мне не нужно нанимать чужих людей.

Потому что так я точно не опозорюсь перед чужими людьми (если их не будет).

И все удачно совпало: я не смогла найти преподавателей, и закон запрещает мне нанимать преподавателей, — а у меня их как раз и нет!.. У меня есть один преподаватель — я.

Можно сказать, мое отчаяние перешло в эйфорию: раз у меня е с т ь преподаватель, ничто не мешает мне дать рекламу и начать бизнес.

И мне уже безразлично, что Максим вместе с ней перерабатывает сценарий. Они разрабатывают сюжет, а диалоги пишут диалогисты. Как будто они в Голливуде. В Голливуде диалогисты работают на любом проекте, а у нас диалогистов берут на большой проект, когда работает команда, когда разные линии пишут разные люди...

Максим сошел с ума? Максим хочет как в Голливуде?

...А я сама писала диалоги. Сама занималась всем вместе с режиссером: и кастингом, и монтажом, и звуком.

И что еще я думаю: если ее сценарий так хорош, зачем же тогда диалогисты? Значит, ее диалоги — плохие!

Вот, я же говорю, мне все это безразлично.

ГЛАВА СЕМНАДЦАТАЯ
Н-ночь н-неврозов

Итак, отчаяние сменилось эйфорией: главное, чтобы проект шел! А проект идет, не спит!

Раз у меня теперь есть преподаватель,

я могу дать рекламу,

— и все,

можно звенеть в колокольчик дзинь-дзинь,

первый звонок в моей школе!

Многие не могут заснуть от нервного возбуждения, я тоже. Тут главное перестать суетливо бороться за сон, а поддаться потоку, расслабиться и насладиться ночным одиночеством.

Когда в три часа ночи я решила расслабиться, в кровати при мне были:

1. Ноутбук большой.

В нем я смотрела кино. Но я уже давно не могу просто смотреть кино. Просто смотреть кино мне кажется мало: одновременно я пишу письма и смотрю Фейсбук и что-нибудь ищу в Яндексе.

2. Ноутбук маленький.

Там я читала форумы предпринимателей: способы налогообложения, как правильно платить налоги и все такое. Задавала кое-какие вопросы юристам, вернее, хотела задать и струсила.

Как только ты попадаешь на форум, тебе предлагают получить бесплатную онлайн-консультацию юриста: задать вопрос и получить ответ. Я повелась на это, как мышь на сыр, и написала свой вопрос: какой налог меньше — «упрощенка» или «патент»?

Этот виртуальный юрист потребовал мой телефон, и я испугалась — зачем? Хочет заманить меня в мышеловку и звонить мне туда?

3. Айпад.

Там я читала Фейсбук и переписывалась с друзьями, находящимися в другом часовом поясе.

Там же я покупала билеты в театр (раз уж все равно не сплю) и присматривала билеты на самолет. Я люблю присмотреться к билетам в города, куда я не собираюсь, но, возможно, скоро соберусь.

Присмотрела билеты в Абакан, Казань, Баку, Ереван, Тбилиси. Еще я иногда бронирую отели в тех городах, куда я хочу поехать. Платить заранее не нужно, можно забронировать и некоторое время наслаждаться, думая, что я туда еду.

Я забронировала отели в Абакане, Казани, Баку, Ереване, Тбилиси: хорошо, когда присмотренные билеты и отели совпадают.

4. Айфон (для большей маневренности: можно посмотреть почту в айфоне, если в айпаде открыт Фейсбук, и наоборот).

Максим спит в кабинете, и я удобно раскинулась в постели со всеми этими гаджетами, пристроив на его подушке большой ноутбук.

Все вокруг меня сверкало, звонило, разговаривало, присылало мне коды доступа и пароли, звонило по скайпу, спрашивало меня «забыли пароль?», бросалось курсами доллара и новостями «Срочно», — это такой отдых, чтобы по-настоящему расслабиться.

К четырем часам ночи я уже ответила на все письма, заказала еду коту и пуделю, купила билеты, почти побеседовала с юристами, начиталась новостей и Фейсбука... Зачем я все читаю и читаю Фейсбук, уставшими глазами перебегая от поста к посту, не из любопытства же к жизни чужих людей?! ...Но отчего тогда?..

В 4:05 я вдруг от н е з н а ю, ч т о б ы е щ е с д е л а т ь набрала в поисковике «Анна Коробова лучший сценарист на свете»: это было из тех безумных действий, что человек совершает наедине с собой (танцует в балетной пачке, корчит рожи перед зеркалом).

Чаще всего безумные действия совершаются ночью: ночью пудель воет на луну, кот недвижимо стоит на задних лапах перед окном, я набираю в поисковике себя.

На запрос «Анна Коробова лучший сценарист на свете» нашлись ответы:

— «один из **лучших сценаристов** в мире — Аарон Соркин» — на это я кивнула, хотя я больше ценю Мэтью Вайнера;

— «**сценарий** ко дню матери «Моя мама **лучшая на свете**» — на это я заплакала, потому что скучаю по дочке;

— «**сценарий** концерта «Ты **на свете лучше** всех» — на это запела «Может, ты на свете лучше всех, только это сразу не поймешь...» и на словах «одна снежинка — еще не снег» опять заплакала, на этот раз от любви к Максиму.

Затем я подкралась к поисковику — моя рука выползла из-под одеяла, как змея, сделала вид, что направляется в другую сторону, а сама подползла к поисковику — и набрала «Анна Коробова плохой сценарист и плохой пи». Я хотела написать «плохой писатель», но рука в ужасе набрала «плохой пи». «Плохого пи» не нашлось!

Я оживилась и набрала «Аню Коробову люблю» (все из тех безумных действий). И — ООО! — нашлось! Одна Аня Коробова 81-го года рождения, другая 92-го.

Тогда я воровато хихикнула, поправила шапку... (все это время я была в шапке: эту шапку я купила у метро, ее связал гений — крупной вязки, с помпоном, цвета бутылочного стекла, я легла в шапке в постель, потому что не смогла с ней расстаться на ночь) и набрала «Аню Коробову обожаю». Невероятно — нашлось!

Тогда я набрала «Аню Коробову ненавижу», нажала «найти», надвинула шапку на глаза, нервно сглотнула, — сейчас я узнаю, кто ненавидит. Закрыла глаза — открыла... Уфф... Не нашлось никого!

...Что это со мной? Невроз?..

Если посмотреть симптомы невроза и отметить плюсиками те, что есть у меня, то:

Расстройство сна +

Эмоциональная неустойчивость + (бросает в жар и тревожный комок в горле)

Повышенная возбудимость +

Странности в поведении + (все это время я лежала в постели в шапке с помпоном)

Невроз может гнездиться в человеке сам по себе (человек просто любит спать в шапке), а может развиваться из-за внешних обстоятельств: много работы, страх конкуренции, желание достичь новых целей, выполнить работу на отлично...

Когда человек начинает бизнес, его психика не справляется со свалившимся несчетным количеством дел, тревожится, что какие-то дела остались несделанными... На самом деле отсюда и шапка крупной вязки с помпоном: это желание спрятаться от всех, укрыться от проблем, побыть невидимкой.

Так недалеко и до нервного срыва, до хронической усталости, вегетативных нарушений: головные боли, боли в животе, потливость рук — фу.

Чтобы не болел живот и не потели руки, нужен тайм-менеджмент: искусство управлять своим временем. Проще говоря, нужен листок, где записываешь дела:

важное _____

отложи на потом _____

вообще забудь_____

Кажется, просто, но прекрасно работает:

— все по очереди переводишь в «вообще забудь», радуешься;

— оставшееся «важное» переводишь в «вообще забудь», оставляя только одно дело, радуешься, приплясываешь лежа;

— оставшееся важное дело называешь «дельце», чтобы не считать его важным.

ИТОГ НОЧИ НЕВРОЗОВ:

• Прочитала, что «несомненным плюсом в применении патентной системы налогообложения для индивидуальных предпринимателей является освобождение от обязанности применять контрольно-кассовую технику, но только по деятельности, на которую выдан патент. И все же главным преимуществом этой системы является фиксированная сумма налога».

• Мыслей по поводу патентной системы налогообложения — ни одной.

• Контрольно-кассовой техники у меня дома — ни одной.

Интересно, как выглядит эта контрольно-кассовая техника?

Это большая касса, как в магазине, и стрекочет «тррр» или маленький аппаратик с кнопочками — «чпок-чпок»?

• Страхов (ко мне домой придут чужие люди, люди с у л и ц ы, и вдруг произойдет что-то ужасное) — 2:

1) страх, что ограбят,

2) страх, что захватят детей.

Да, именно так: страх, что придет террорист или псих и возьмет детей в заложники.

В школах теперь есть охранники. В настоящей школе стоит человек в форме (не знаю, с автоматом или без).

Может быть, мне нужно поставить охрану внизу? Лучше с автоматом.

Но сколько это будет стоить?

...Вряд ли Максим не заметит охранника с автоматом.

ГЛАВА ВОСЕМНАДЦАТАЯ
Не про секс

Невротические страхи — как вампиры: гуляют при лунном свете, днем отдыхают.

Но день — время отдыха не обязательно в с е х вампиров.

День пришел, а некоторые страхи (нанимать преподавателей, будучи ИП без лицензии, выдавать работникам трудовые книжки, покупать трудовые книжки в метро) остались.

Остался страх, что под видом родителей учеников в моей квартире появятся террористы и (или) грабители, и да, чуть не забыла, — маньяки.

Сценаристы, думаю, в с е трусы. Потому что — что такое страх? Хорошо развитое воображение. А также умение представить с т р а ш н о е, увидеть то, что навоображал. Это профессиональная особенность сценариста: у в и д е т ь сцену.

Вот я и увидела сцену: я прихожу домой — и вхожу в п у с т у ю к в а р т и р у: все вынесено,

208

и портреты предков, и сковородки. В спальне нет даже кровати. Из пустой комнаты выходит Максим и говорит: «Смотри, что ты наделала: теперь у нас нет даже кровати». Я бросаюсь к нему на шею, говорю мужественным голосом: «Но ведь это всего лишь мебель, главное, что мы вместе», мы оба плачем.

А вот еще: Максим приходит домой, но его не пускают. Дом оцеплен. На Невском остановлено движение, под нашим окном стоит полицейский, кричит в рупор: «Отдайте детей, и мы сохраним вам жизнь!» Максим вызывается пройти в квартиру и переговорить с террористом, Максим выводит детей по одному, я остаюсь в квартире... Я остаюсь в квартире?..

А ведь мне нужно давать рекламу. Что же мне, дать в рекламу текст: «Невротичка приглашает детей на занятия, просит родителей принести справку, что они не бандиты»?

Ну как-то так... Я трус, большой трус, очень большой трус, поэтому утром ночные страхи все еще крутились в моей голове, как новая серия начинается с кадров «в предыдущих сериях...».

Не всегда хочется заниматься бизнесом, давать рекламу, иногда хочется лежать и слушать, как дождь стучит в окно, почитать Чехова, посмотреть старого Вуди Аллена или... — но нет. Нельзя.

Зинаида-олигарх говорит, что «нужно рвать когти».

ПОУЧЕНИЕ от Зинаиды-олигарха. Если идея и правда хорошая, значит, прямо сейчас ее обдумывает кто-то другой.

Зинаида-олигарх имеет в виду любой бизнес, не только свой. Казалось бы, моя школа — необычная, моя идея — оригинальная (разве кто-то еще предлагает научить детей бегло читать по-английски за месяц?).

Зинаида-олигарх имеет в виду, что идеи носятся в воздухе, и если это придумала я, значит, вот-вот придумает кто-нибудь еще. ...Уверена, что первое название для школы, что придет в голову моим конкурентам, будет «Алиса», а второе «Винни-Пух», уверена, они даже не подумают рассмотреть «Шалтай-Болтай», «Диккенс с нами» или «Англоманчик».

Если верить Зинаиде, то прямо сейчас, в эту минуту, как минимум несколько конкурентов размышляют над моей школой... поэтому мне некогда перечитывать Чехова и пересматривать Вуди Аллена: мне нужно поскорей открыть школу.

Каждому понятно, что «открыть школу» означает:

— сделать сайт (клиент должен увидеть мою рекламу «Приходите к нам, мы лучшие!»),

— когда сайт будет готов, дать рекламу,

— договориться с Надей, что она прикроет меня перед Максимом,

— начинать занятия... Ну и да, придумать методику.

И тут встает очень важный вопрос: вопрос темперамента.

Если бы я была флегматиком... Максим — флегматик.

Ему всегда кажется, что все может немного подождать: актриса, которая нужна ему на главную роль, и самолет, и инвестор. В результате актриса уже занята, самолет улетел, инвестор тоже улетел.

Если бы я была флегматиком, я бы, к о н е ч - н о, начала с сайта. Без сайта никак: если у меня нет сайта, клиент подумает, что я — чепуха какая-то, тупой самозванец, что у меня не хватило ума хотя бы притвориться школой.

Если бы я была холериком, я бы не имела сил ждать, пока мне сделают сайт: легче броситься со скалы, чем ждать около двух недель, пока делают сайт, — кто вообще может ждать две недели? Если бы я была холериком, я бы закричала: «Скорей, скорей! Дадим рекламу! Откроемся без сайта! Как-нибудь!»

Если бы я была холериком — а я и есть холерик, — я бы поскорей дала рекламу.

Но я ведь не только трус, я жадина... Жадинам очень трудно давать рекламу: жалко денег.

Честно говоря, я хотела отдаться в руки профессионалов: позвонила в парочку фирм, но во всех фирмах мне неприятным голосом задали вопрос: «Какой у вас рекламный бюджет?» ...Какой-какой?.. Никакой.

Придется самой заниматься рекламой. Я ведь и сама могу сообразить, что

— растяжки на главных трассах города на Неве «Спешите записаться!»,

— бегущая строка на исторических зданиях: «Школа "Шалтай-Болтай"приглашает...»

— листовки с моим портретом и слоганом «Будущая элита растет здесь», раскиданные по почтовым ящикам во всем Центральном районе,

— реклама в небе, как в американских сериалах: вертолет летит над Невским проспектом, а за ним по небу надпись «Школа "Шалтай-Болтай"...»

— это все — нет. Это все очень дорого мне обойдется. Да и Максим заметит растяжки и вертолет над Невским проспектом, и это очень дорого мне обойдется.

А вот дать рекламу в справочнике «Кидсревью» — это да.

Максим не читает справочник городских детских учреждений.

И это недорого.

Вот моя записка:

«Кидсревью», анонс в соцсетях на неделю — 3 тыс.

а если постоянно: страница на сайте (неполный пакет) — 20 тыс. за год

до 31 января скидка — 10 тыс.

Нельзя сказать, что я полностью отдавала себе отчет, что такое «анонс в соцсетях» и «страница на сайте» применительно ко мне.

Но я поняла слово «скидка».

И мне понравился «неполный пакет».

Я хочу сказать, что предложение рекламы — это как будто вы в торговом центре: в неполном пакете есть шампунь, гель и пенка для укладки — все это х о т я б ы для волос, а в полный пакет кладут еще лак для ногтей и маску для сна.

Я оплатила анонс, страницу, неполный пакет, не вполне отдавая себе отчет, что делаю. Хорошо, что от полного пакета меня оберегла жадность.

Что-то (природная способность к бизнесу?) подсказывало мне, что 10 тысяч пропадут. Справочник не приведет ко мне толпы. Слово «скидка» действует на меня гипнотически: однажды я купила дачный диван-качалку без сиденья потому, что он был уценен с 3 тысяч евро до 50. У нас нет дачи, но кто бы не купил?..

Реклама в Интернете, вот на что были мои надежды. «Дорогие друзья, в частной английской школе "Шалтай-Болтай" ваши дети войдут в мир англоязычной культуры...»

Я позвонила в одну-две фирмы, или в три.

Мне не понравились слова, которыми они пользовались: минимальный бюджет, контекстная реклама, новый тренд рекламы, тизерная реклама, SEO, Яндекс.Директ, переходы, таргетированная реклама, реклама в соцсетях и в мобильных приложениях. Я повторила себе несколько раз: во всех этих словах м о ж н о разобраться.

Конечно, я пользуюсь Фейсбуком, BBC News, Instagram, WhatsApp, Uber, но все-таки я немного динозавр. Мне как динозавру из прошлого века захотелось расклеить объявления клеем «Момент» на столбах и водосточных трубах: «Научим читать по-английски, тел...» Кто оторвал бумажку с телефоном — вот тебе и переходы.

ИТОГ ДНЯ:

- Тюбиков клея «Момент» — один (Надя нашла в кладовке, тюбику лет двадцать, переехал с нами из старой квартиры, молодец такой).
- Спящих рядом Максимов — один.

Все вернулось на свои места.

Под «все вернулось на свои места» имею в виду Максима (вернулся в спальню).

И примирение в целом: все хорошо.

Поводом для примирения послужила ссора с криком «Мы будем голодать!».

Зинаида-олигарх принесла коту игрушку: по дуге, как паровозик по рельсам, бегает шарик, сверкает, блестит, шумит. Коту не понравилось, и он прав: надо признаться, немного безвкусно.

Максиму тоже не понравилось.

К тому же он на нее наступил. Поскользнулся.

Ну, бывает же, что человек поскользнулся на пластмассовой игрушке и упал. И с пола кричит: «Что это за дрянь!» — и хватает эту игрушку, чтобы разломать в сердцах, а на ней бирка «Железная дорога для кошек», цена 7460 руб.».

И орет: «Зачем коту железная дорога?! Он что, хочет от нас уехать?..»

И вдруг пересчитывает рубли в евро и кричит: «Ты купила коту игрушку за сто евро? А-а-а! Игрушка за сто евро! Для кота?! А я!..»

— Возьми у кота и поиграй, — посоветовала я.

Максим совершенно не жадный, но у него есть одна особенность: он и н о г д а жадный. Он становится жадным, когда у него финансовые проблемы: может жалким голосом сказать, что мы будем голодать... или придраться к игрушке для кота, подаренной Зинаидой-олигархом.

Но у каждого свои недостатки. У Максима есть и хорошие привычки: он кричит громко и страшно, и в его крике есть две фазы, в первой фазе кричит злобно, собой не владеет, а во второй фазе кричит в и н о в а т о. И, как бы оправдываясь за злобный срыв, обязательно прокричит, в чем дело, что его волнует.

Вот кратко: все это время, что Максим спал в кабинете, что у нас были плохие отношения, я думала, что у него возрастной кризис. А у него вовсе не возрастной кризис, а финансовый: канал отказался покупать наш последний сериал, затем Максим все же продал сериал, но «совсем за другие деньги», а когда Максим говорит «совсем другие деньги» — это означает, что проект вышел в минус, не окупил себя. Любой бы на его месте нервничал и метался и выбрал бы н о в о е — нового модного сценариста, а не меня. С моим самолюбием, тщеславием, как будто я главная в мире...

Но почему он не рассказал мне этого раньше? Н е х о т е л м е н я р а с с т р а и в а т ь.

...Максим еще раз сказал, что мы будем голодать. Я сказала: «Тогда я зря бросила курить — теперь я много ем».

И мы совсем помирились. Это не намек на секс, это не про секс, это про доверие: Максим дал мне еще раз прочитать ее сценарий.

Ну что я могу сказать... Если бы я была продюсером и мне принесли этот сценарий, я бы сказала «зритель ничего не поймет» и «обычные люди так не разговаривают». Это самые распространенные замечания к сценарию, я сама слышала их десятки раз.

А так — мне очень понравился сценарий. Хорошая идея. Отличная первая серия. Неплохие диалоги (не понимаю, зачем переписывали). Хороший сценарий.

Возраст героини — 27 — особенно привлекает. И сама история: перед свадьбой она спит по очереди со всеми друзьями жениха, и с подругами — это нарушение табу и в целом очень интересно. Можно, конечно, сказать, что это сериал про бешенство матки, но ведь никто еще не снимал сериал про бешенство матки. Если подумать, возможно, именно это сейчас и нужно. ...Так бывает: вчера ты думал так, а сегодня эдак.

На самом деле я счастлива: мы снова вместе, больше нет никаких подозрений, между нами любовь и полное доверие.

Про то, что у него дома будет школа, я, естественно, не сказала.

ГЛАВА ДЕВЯТНАДЦАТАЯ
Трус, Нахалка и Жадина

Я подумала: мне ни за что не справиться со всеми этими словами (контекстная реклама, переходы). Мне нужен менеджер, который занимается рекламой в Интернете.

Но иметь менеджера, который занимается рекламой в Интернете, — слишком жирно. Я жадина: на менеджера мне жалко.

Вот что мне нужно: человек, который меня обучит, чтобы я сама могла размещать свою маленькую рекламку в Яндекс.Директ, ВКонтакте, в Фейсбуке.

...Обучила меня Надина внучка-семиклассница. За двадцать минут. И если вы думаете, что разобраться во всем этом «вы платите только за переходы пользователей на ваш сайт или виртуальную визитку с контактами, а не просто за показы рекламы» может только кандидат физ.-мат. наук, то вот и нет!

Прочитать инструкции, иметь рядом Надину внучку-семиклассницу и банковскую карточку — и дело в шляпе.

Сначала ты в ужасе думаешь, что ничего никогда не поймешь, а потом понимаешь, что нас хорошо учили в школе.

Но возникла одна проблема...

Так бывает с холериками: они придумали бизнес — растить элиту, уже видят себя победителями конкурса «Школа-2017», и вдруг на них обрушивается мгновенное резкое понимание — есть одна проблема. Самого главного не учли.

Ну, как если бы решили отправлять в Африку поездом снежные бабы: с Африкой договорились, и поезд наняли, и прибыль есть, но — ой! — не учли, что снежные бабы растают... Ой.

Так бывает с холериками: они искренне выбрасывают из своего сознания все, что мешает их мечтам-идеям.

Но вот она, жестокая правда, обрушившаяся на меня, как град: в рекламе нужно написать не только телефон (телефон-то у меня есть, купила отдельный телефончик для школы), но и адрес.

А д р е с. Невский проспект, дом № ..., квартира № ... Это м о й адрес.

И любому, кто прочтет объявление, будет понятно: «Шалтай-Болтай» не школа, а туфта.

Не бывает школ в квартирах.

Школа — это вывеска, парты, телефон, факс, дырокол, кнопки.

Квартира № ... — это Надя, вазочки, кастрюли, книги на тумбочке у кровати, зубные щетки, моя розовая.

Но я ведь у ж е заплатила за Яндекс.Директ. Я у ж е договорилась с сообществами ВКонтакте (каждому сообществу по теме «образование детей» нужно было заплатить немного денег, чтобы они разместили мою рекламу на своей странице; они довольно жадные: мое объявление на один день — 500 рублей), и я у ж е заплатила.

Иногда бывает лучше, если нужно быстро придумать, и я (от жадности, я ведь у ж е заплатила) быстро придумала: а я не буду писать в рекламе адрес. Я напишу — пусть это будет моя фишка, пусть между нами, мной и моими клиентами, будет тайна... я напишу так: «Свои контакты присылайте по адресу...» и дам адрес электронной почты школы!

Хитро? По-моему, да!

И я еще приписала: «Напишите, какой ваш ребенок. Не напрягайтесь, можно просто «он у меня очень добрый», или «с утра до вечера кусается», или «я очень его люблю». После получения письма кандидат приглашается на собеседование. Кандидат — это мама с ребенком».

Хорошо? По-моему, да!

И еще приписала: «Занятия проходят в камерной петербургской атмосфере в знаменитом доме на

Невском у Аничкова моста; дети читают английские сказки за круглым столом под зеленым абажуром».

Теперь никто не сможет сказать, что я не предупреждала: «Внимание, в школе вам могут встретиться зубные щетки, моя розовая».

Надя прочитала мое объявление, одобрительно сказала: «Ну вы нахалка... народ к вам пойдет».

ИТОГ ДНЯ:

* Денег, потраченных на рекламу:
    — ВКонтакте — 3 тыс. руб.,
    — на Яндекс.Директ — 0 руб.

Я выбрала предложение платить только за переходы пользователей на мой сайт, но сайта-то у меня нет. Получилась двойная экономия: на сайте и на рекламе.

* Невыкуренных сигарет — 20 (давно уже курила по пачке в день, так что можно считать — 20).
* Негромких криков Максиму «Убери сигареты, я же не курю...» — 20.
* Громких криков «Я же не курю-ю!» — 20.
* Разочарований — 1.

Я надеялась, что всем трудно бросить курить, а мне легко.

Но это не так: мне трудно. Я совсем не хочу курить. Просто думаю об этом каждую минуту.

И я стала очень раздражительная.

Между прочим, не только я раздражительная. Я прочитала, что курящий индонезийский орангутан

Тори раздражается, когда не получает ежедневной сигареты.

• Невыкуренных вечерних сигарет — 3!

Ведь что такое курить? Извините, я повторяюсь, но мне очень трудно... Курить — это юность, свобода, это чувство «я взрослая, курю при маме». Это юношеское «кто не курит, тот глупая тетка», это сосредоточенный взгляд в себя, когда затягиваешься, ощущение счастья, когда вспыхивает огонек зажигалки.

Что такое бросить курить? Бросить это все?

...О, если бы я хотя бы могла пить!..

• Родителей, позвонивших или написавших мне в результате рекламы, — ни одного.

• Все еще ни одного человека (сейчас 12 часов ночи).

• Время действия рекламы закончится через три часа (сейчас 3 часа ночи). Наверное, уже никто не позвонит (и не напишет).

• О нет!!! Утром, в 9 утра! Ура!

Ура! Я — настоящий бизнесмен, безошибочно выбравший целевую аудиторию!

Моя реклама дала результат: один человек. Один человек, по имени Васечка: вернее, его мама, Ольга. Хочет всего, что написано в моей рекламе: английские сказки, через месяц беглое чтение по-английски, на Невском, под зеленым абажуром.

ПОУЧЕНИЕ. Сначала кажется одно, а потом совершенно другое.

ГЛАВА ДВАДЦАТАЯ
Золофт?

«Антидепрессант, мощный специфический ингибитор обратного захвата серотонина (5-НТ) в нейронах. Оказывает очень слабое влияние на обратный захват норадреналина и допамина. В терапевтических дозах блокирует захват серотонина в тромбоцитах человека. Не оказывает стимулирующего, седативного или антихолинергического действия. Благодаря селективному угнетению захвата 5-НТ сертралин не усиливает адренергическую активность. Сертралин не обладает сродством к мускариновым холинорецепторам, серотониновым, допаминовым, гистаминовым, GABA-, бензодиазепиновым и адренорецепторам. Сертралин не вызывает лекарственной зависимости, не вызывает увеличение массы тела при длительном приеме.» Ну хотя бы...

Моя подруга, американский врач, посоветовала мне этот золофт.

Я думала, нужно будет этот золофт из Америки везти, а оказывается, у нас этого золофта ешь не хочу. Народ-то, оказывается, страдает от депрессии.

Депрессия, у меня? Ха-ха-ха. Так я думала. Теперь-то я узнала, почем фунт лиха.

Говорят, что депрессия от некурения начинается не сразу, а через месяц: так и есть.

Говорят, что трудно не курить в компании. А вот это ерунда. Труднее всего не курить одной.

Но я пока не могу решиться пить антидепрессант.

Хотя он и не вызывает увеличение массы тела при длительном приеме.

На самом деле это «при д л и т е л ь н о м приеме» меня и напугало: что же, я д о л г о буду это пить?

ГЛАВА ДВАДЦАТЬ ПЕРВАЯ
Депресняк

Даже если депрессия — это болезнь, то болезнь слабых. Сильные люди не страдают от депрессии, а ищут выход, так я считаю.

Но какой, скажите на милость, в ы х о д можно найти, если у тебя депрессия от того, что не куришь? Начать курить?

Оказывается, если человек перестает курить, у него наступает депрессия как х и м и ч е с к а я реакция организма.

Вот: попадая в организм, никотин становится заменителем эндорфина, гормона счастья.

Дефицит эндорфина влечет за собой плохое настроение и состояние апатии или депрессии.

Резкий отказ от никотина заставляет работать организм по-другому, и как последствие возникают психические расстройства и сбои.

У тех, кто бросает курить, снижается работоспособность.

Зачем, господи, зачем?! Зачем я это сделала?

Долго ли будет у меня депрессия, зависит от моих индивидуальных особенностей (так говорит сайт про депрессию), и вот что за это время может со мной происходить:

✓ Плохое настроение — да. Ого-го, какое плохое!

✓ Упадок сил — нет.

✓И аппетит хороший.

✓Непереносимость яркого света — да.

Зачем мне свет? Мне незачем вставать. Зачем мне вставать, если я не могу курить?.. Не то чтобы я очень хочу курить, нет. Я не хочу курить, но я и жить не хочу. Тихо умру некурящая.

✓ Снижение работоспособности — да.

Я уже давным-давно, с 4 декабря (прошло больше месяца), ничего не пишу.

✓ Непереносимость громких звуков и шумов — нет.

Алла и Зинаида-олигарх приходили меня навестить: кричали-хохотали-рыдали, но я ничего, непереносимости нет.

Девочек позвала Надя, сказала: «У Ани депресняк, лежит носом к стенке и даже не хочет голубцов». Вот они и пришли, с конфетами и лицами, как будто я уже умерла.

Алла сказала: «Встряхнись, посмотри на меня». Она и правда выглядит хорошо и стала смотреть на жизнь реалистичней: при разводе хочет получить от Пашки дом, содержание, опеку над детьми и половину завода (лучшую, от проходной до складов). ...Опека над программистом и хирургом?! Но Алла стоит на своем: насмотрелась американских сериалов. Там при разводе определяется виновная сторона, виновная сторона при разводе остается голой. ...А-а, да. Самое главное: развода не будет. На официальный развод Алла не согласна: развод будет к а к б ы развод. В противном случае она не позволит детям, программисту и хирургу, общаться с Пашкой.

Шантаж? Да, ну и что? Если Алла имеет такое влияние на сыновей, значит, она это заслужила.

В обмен на опеку Алла кое-что предлагает: лояльность. Обещает познакомить сыновей и внуков с новыми Пашкиными детьми, чтобы они почувствовали себя частью семьи. ...Точно насмотрелась сериалов.

На самом деле не так глупо хотеть извлечь из ситуации максимум, приобрести все моральные и материальные преимущества: Алла остается главной женой, руководит всеми, включая новую семью, владеет заводом от проходной до складов... Как сказала Надя: «Ну хотя бы».

— Пашка твой красивый и мужественный, вот и бросил тебя... не доверяю я красивым мужественным мужикам... — тактично заметила Зинаида-олигарх.

— Уж ты-то знаешь, уж тебе-то есть кого вспомнить, — кивнула Алла и на случай, если Зинаида не поняла намека, уточнила: — Мужа своего.

— Вот уж кто был мужественный и красивый... — добродушно отозвалась Зинаида. — Я иногда думаю, лучше уж такой очкарик-капризуля, как Максим... Анька ему как мамочка, а мамочку пс предают, не бросают... с мамочкой не разводятся.

Что?

— Согласна, с капризулей б е з о п а с н е й.

Вот как они думают о моем муже: что он не бросает меня, потому что я ему как мамочка, и что он зуля-капризуля немужественный... А ведь он занимается таким м у ж е с т в е н н ы м бизнесом!

Алла и Зинаида-олигарх считают, что Пашкин завод и Зинаидин бизнес по производству чего-то очень важного, не помню чего, — это бизнес настоящих мужчин. Считают, ничего нет мужественного в том, чтобы снимать сериалы. Даже стрелялки: ведь это же не Максим стреляет.

Девочки не понимают, продюсер — очень мужественная профессия: то канал отказался покупать сериал, то инвестор требует вернуть вложенные деньги, то одно, то другое... На самом деле он ж е с т к и й продюсер. А теперь у него новый проект, новый молодой сценарист — он рискует деньгами, репутацией... Но разве они могут понять?!.

— Хорошо Аньке, она может не волноваться, у нее Максим такой страшненький, — сказала Зинаида.

— Да, но у него есть деньги. Как говорят в американских сериалах, «страшненький плюс деньги равно красавчик», — возразила Алла. И они громко рассмеялись.

Совсем распоясались. Думают, я лежу носом к стенке и не слышу: ведь депрессия — это состояние измененного сознания. ...Да, это так. Все это время я в состоянии измененного сознания ела конфеты. «Вишню в шоколаде», которую они принесли.

...Никакой Максим не зуля-капризуля, он просто немного капризен в быту, любит свой комфорт, любит кричать... У него другая проблема, об этом неловко говорить... У него есть власть над людьми: он работодатель, а все остальные, даже звезды, — предлагают себя.

У сценариста тоже есть власть — над персонажами, я эту власть очень люблю. Над людьми мне не надо власти, но мне ее никто и не предлагает...

Хотя... Когда я проводила собеседования в кафе, я поняла, что чувствует человек, когда он начальник: свое, черт возьми, превосходство, и радость, что находишься на этом месте, и гордость — ты-то этого, безусловно, достоин, а эти люди непутевые сами виноваты в своих абортах.

Я не сделала ничего плохого: никого не обидела, всем сказала, как написано в книжках, «мы вам перезвоним» (кроме той, у которой было три аборта за последний год, это уж слишком).

Но я поняла: я могла бы полюбить власть, став настоящим директором школы... или завучем, завучем, я думаю, в меньшей степени. Быть настоящим директором школы и остаться человеком, думаю, трудно: можешь казнить и миловать, раздавать моральные оценки, заставить ребенка плакать... и родителей... Однажды директор школы сказала мне: «Ваша дочь мне не нравится». Я была еще не взрослая, боялась директоров, опустила голову, чтобы было не видно, что я плачу, — как, мой ребенок вам не нравится?! Прошло 25 лет, и все эти 25 лет я ненавижу таких директоров холодной, как студень из морозилки, ненавистью... И ведь каждый может оказаться на месте директора!.. Хорошо, что у меня совсем нет власти, хорошо, что у меня частная школа из одной меня, что надо самой мыть туалет. Мои мысли все время съезжают к школе, я прямо школьный маньяк...

Так вот, о Максиме: Максим не любит власть, власть ему не нужна и неприятна. Он хочет, чтобы его все любили: и режиссеры, и инвесторы, и актеры, и я, и Надя, и кот.

— А мой Пашка всегда был красавец и сейчас красавец... — сказала Алла и громко всхлипнула.

— И мой был красавец, и мужественный, не то что этот... — сказала Зинаида и громко всхлипнула.

«Этот» — это сегодняшний Зинаидин муж, а «мой» — тот, что ее предал, тот, по которому она плачет. Зинаидина душа — загадка, и Аллина тоже...

Требуюсь Я!

Зинаида-олигарх и Алла всхлипывали все громче. Я больше не могла игнорировать звуки и шумы, пришлось мне повернуться к ним.

Это было бы самое время пойти на кухню и покурить. Но я же не курю!

✓ Резкая реакция на запахи — нет.

✓ Частые смены настроения — нет.

У меня ровное плохое настроение, острая боль ушла, а тупая осталась... навсегда? Я больше не я и никогда не буду я... моя маленькая серебряная пепельница, мои зажигалки, огонек и мои мысли, когда закуриваешь...

✓ Низкая степень самообладания — да.

Вчера опять кричала истерическим голосом: «Дайте мне рабо-отать!»

О какой работе я кричала? У меня нет работы: писать сценарий я не могу, а что касается школы, то как раз сейчас идет набор. В сущности, набор окончен.

Набрался один человек. Васечка.

Вот вам и реклама в социальных сетях: реклама дала мне группу из ребенка Васечки. Растяжки по всему городу были бы лучше.

Но если серьезно, эта ситуация была мне глубоко обидна: я придумала нужное, важное, интересное дело — а оно провалилось.

И я не знаю, отчего я б о л ь ш е не хотела вставать — из-за отсутствия никотина в моем организме или учеников в моей школе.

ИТОГ НЕДЕЛИ:

- Групп для обучения беглому чтению на английском языке — одна.

Список группы:

1. Васечка.
2. Милаша.
3. Арина.
4. Вадик.
5. Антон Маркович Штейн.

ГЛАВА ДВАДЦАТЬ ВТОРАЯ
Объяснительная

Почему Антон Маркович Штейн в группе шестилеток?

Ну, можно было бы солгать, что он мой шестилетний ученик, но я скажу правду: ему 23, он работает у меня за еду.

Антон Маркович — мой ассистент, помогает мне с группой.

Откуда взялась группа?

М о ж н о было бы солгать, никто ведь не проверит: группа неожиданно набралась и бла-бла-бла, но я скажу правду.

Я поняла, что моя затея провалилась.

Конечно, провалилась! К этому времени английская частная школа «Шалтай-Болтай» с единственным учеником Васечкой выглядела именно как затея, не как бизнес-идея...

Любая бизнес-идея меняется с момента рождения до осуществления, и моя тоже претерпела небольшие изменения: я собиралась зарабатывать миллион, нанять всех, от завуча до уборщицы, а потом решила сама мыть туалет.

Но набор из одного Васечки — это все-таки слишком.

Вот я и поняла: сила не в том, чтобы осуществить все, что задумал. Сила в том, чтобы отменить все задуманное. Сила в том, чтобы отменить все задуманное и перечитывать Чехова и пересматривать старого Вуди Аллена. Плакать. Думать, что жизнь не удалась.

Вот тут и появился Антон Маркович. Позвонил мне по рабочему телефончику, который я приобрела для школы. Для верности написал мне на школьную почту, в Фейсбуке и ВКонтакте, что он, Антон Маркович — аспирант в Кульке (сейчас это Санкт-Петербургский университет культуры и искусств, а раньше мы говорили Кулек). И его интересует моя методика обучения, для диссертации и общего развития. И он просит моего разрешения присутствовать на занятиях в любом качестве, которое может понадобиться. Ну, и я, конечно, подумала «ага!» (имею в виду, кто будет мыть туалет).

И мы с Антоном Марковичем встретились в «Старбаксе» и обговорили детали сотрудничества.

— Понимаете, Антон Маркович... Не то чтобы я зациклилась на чистых туалетах, но мой муж, он... В общем, к его приходу домой туалет должен быть девственно чист. Понимаете, у меня такая ситуация: мой муж не знает, что у нас дома школа.

— Я понял вашу ситуацию, Анна Владимировна, — сказал Антон Маркович.

Мы с Антоном Марковичем коснулись и финансовой стороны наших взаимоотношений: не только голубцы.

Он любит голубцы, но его устроит и другая Надина еда: каши, сырники, оладьи, пирог с капустой.

У нас как-то сразу все задалось.

Смелый человек договорился с Антоном Марковичем и пошел по жизни дальше, у смелого человека немного мыслей по поводу Антона Марковича.

У труса, каковым я являюсь, м н о г о мыслей. Вот мои мысли:

— вдруг он бандит?

— грабитель?

— маньяк?

— а что, если у него туберкулез?

— и венерические заболевания? Господи, господи, как страшно!

— Почему ты не попросила его показать паспорт, идиотка? Тебе в голову не пришло? Ты подумала, он обидится, что ему не доверяют? Хотя бы флюорографию попросила... Ну ты и дура.

...Каждому понятно, что произошло потом. Каждому понятно, что теперь, когда я наняла аспиранта Санкт-Петербургского университета культуры и искусств мыть туалет к приходу Максима, у меня уже не было путей к отступлению.

И мне пришлось сформировать группу из шестилетних знакомых Надиного мужа.

Если уж совсем честно, была еще одна причина, по которой я не хотела отступать: я н е   х о т е л а отступать. А если я — школа, значит, у меня учатся дети:

1. Васечка.
2. Милаша.
3. Арина.
4. Вадик.

Почему так мало? А попробуйте сами добыть детей.

Единственный оплаченный ребенок — Васечка. Милашу и Арину английская частная школа «Шалтай-Болтай» взяла бесплатно, и мы приплачиваем родителям Вадика.

Три человека — это не группа, а четыре — уже группа. Лучше доплатить за Вадика, чем у меня не будет группы. Надя будет доставлять Вадика к нам, забирать его будет мама, но мы должны будем заплатить за прокат.

Известны примеры ведения бизнеса, когда в н а ч а л е бизнеса владелец ресторана сам у себя заказывает еду, владелец салона делает себе маникюр, владелец школы учит своих детей — чтобы проект не провалился!

Все ученики школы, кроме Васечки, были знакомыми Надиного мужа. У меня не было ни одного знакомого шестилетнего ребенка, но у Надиного мужа были: у него все есть.

ИТОГ ДНЯ:
*   Квартир в доме на углу Невского и Фонтанки, из которых полностью выветрен дух человеческого жилья, — одна.
*   Очень чутких Максимов — один.

Что мы скрываем от посторонних? Чего боимся? Почему убираем перед приходом гостей? Ч т о именно мы убираем? Раскиданную одежду и обувь, белье с сушилки, чашки отовсюду? Скрываем от посторонних, что мы одеваемся, обуваемся, стираем белье, пьем чай? Думаю, дело не в этом.

Думаю, просто с к р ы в а е м. Это наш дом. Наша нора. Спальня — там может быть набросано, белье по полу валяется (у меня не валяется), ванная — там белье сохнет. У меня красивая ванная, туалет тоже красивый, там картины.

По жилью можно узнать о хозяине то, что он никогда о себе не расскажет. Показать свой дом — это как будто открыться. Я могу всем показать свой дом, я не боюсь. Максим тоже не боится, он любит приоткрыть дверь в спальню и сказать гостям: «Вот наша спальня, мы тут поженились». Гости смущаются, Максим хохочет: «Ха-ха-ха, дело в том, что мы живем в бывшем ЗАГСе, мы поженились как

237

раз в нашей спальне». ...Ну, это он рассказывает москвичам, питерские-то все знают, что в нашем доме был ЗАГС, многие и сами женились в нашей спальне. Кто в Центральном районе женился вторым или третьим браком, или четвертым браком — все в нашей спальне.

...Завтра мой дом станет школой, это очень волнующе и странно.

Мы с Надей убрали все признаки жизни: получилось отлично! Как будто тут не готовят еду, не моются, не стирают одежду, не спят.

Я даже не хотела ложиться спать, чтобы не нарушать идеальной чистоты и симметрии. Если бы я могла, я бы попросила Максима н е с п а т ь в ш к о л е.

— Не можешь заснуть? Нервничаешь? — спросил Максим.

О-о, он знает, догадался...

— Да, глупо, но я очень нервничаю.

— Спи. Все будет хорошо. Сценарий хороший, с режиссером я договорился, а на главную роль...

— Спи. Завтра рано вставать.

— Мне не надо рано, я...

— Тебе н а д о рано.

ГЛАВА ДВАДЦАТЬ ТРЕТЬЯ
Дядя Хрюшка

Утро сценариста отличается от утра директора школы.

Как сценарист я всегда провожу первые минуты в спокойствии и умиротворении: многие считают, что утро нужно начинать с медитации.

Я начинаю утро с почти медитации: спокойно читаю Фейсбук, пью кофе и быстро пишу: если вечером у меня были трудности с персонажами, то утром я знаю — кто, куда и зачем. Кажется, что все запомнишь, но нет, нужно поскорей все записать. Это очень интересная загадка: мне ничего не снится, я сплю крепко, откуда же утром появляется вот это — кто, куда, зачем, как будто я смотрела кино...

Но это мое прошлое.

Как директор школы я вскочила без Фейсбука и кофе. Как вихрь, промчалась по квартире: не появились ли за ночь волшебным образом гладильная доска в коридоре, кастрюли на плите и другие признаки того, что это н е ш к о л а. Ученики должны прийти в два часа дня.

Максима я разбудила в 10 — считаю, очень по-доброму.

...Почему человек, разбуженный в 10, накормленный рисовой кашей, напоенный кофе с молоком, к часу дня не может выкатиться из дома?!

Почему именно этим утром, когда у меня первый учебный день, он бродит по дому в халате? И пристает ко мне с разговорами: режиссер и сценарист одного возраста, он хочет, чтобы сериал был сделан молодыми, у молодых другое видение, молодые знают, что нужно молодым, общаться с молодыми... Черт-черт-черт!

Он не знает, что я т о ж е... Я тоже буду общаться с молодыми, я даже его обскочу с шестилетками.

Он не знает, что, как говорят в плохих сериалах счастливые родители, скоро по дому затопают детские ножки.

Он не знает, что детские ножки затопают по дому через 50 минут.

Дальше счет пошел на минуты.

12:30. Максим кричал: «Где моя бритва»?, и «Я имею право бриться в гостевом туалете!», и «А-а-а!».

13:15. Максим спросил, почему я нахожусь дома в платье и бусах

13:16 и на каблуках

13:17 и что если я собираюсь уходить, то мы можем выйти вместе и выпить кофе в итальянском ресторане напротив.

13:20. Максим ушел.

Я убрала бритву из гостевого туалета.

Вышла в прихожую и, улыбаясь, сказала: «Добро пожаловать в школу "Шалтай-Болтай"».

Переоделась: в джинсах будет менее формально.

Переоделась: в платье будет более формально.

Вот если бы можно было покурить, я быстрее настроилась бы... Мне необходимо войти в образ директора школы. И я ведь не только директор, я еще учитель: мне же нужно вести занятия. Я много лет читала лекции, но я никогда — никогда! — не учила детей. ...Студенты флиртуют на лекциях, жуют, иногда выпивают незаметно; если очень надоедят, их можно выгнать с лекции. Что делать с детьми, если они мне надоедят, запереть до прихода родителей?.. Я никогда не запирала детей. Я очень волнуюсь.

13:38. Звонок.

Звонок!.. Немного рано.

Интересно, кто пришел немного раньше — Васечка, Милаша, Арина, Вадик?

А это Максим.

Пришел н е м н о г о раньше. Решил надеть другие ботинки. Быстро вывалил всю обувь из тумбы в прихожей.

А ведь сейчас это не прихожая, это вестибюль, лицо школы.

Первое, что увидят мама Васечки и мамы остальных учеников, войдя в школу, это будет Максим, роющийся в куче обуви на полу.

13:43. Максим ушел.

А я осталась в школьном вестибюле без голоса. Я так орала, так орала… никто не знал, что я могу т а к орать, ни он, ни я. Ну, очевидно, так из меня вышло все напряжение сегодняшнего утра и всего последнего месяца, что я веду бизнес, и, возможно, это вышли те мои обиды и разочарования, что накопились во мне за всю жизнь с младенческого возраста. Потому что это было очень громко.

Хотя не т а к громко, чтобы соседи с верхнего этажа примчались к нашей двери с хлопотливыми лицами «что случилось — что случилось?..». У них у самих рыльце в пушку: я иногда слышу, как они кричат друг другу по утрам «освободи ванную!», и не мчусь к ним спросить, что случилось.

Я кричала: «Ушел так ушел! Могу я иметь! Хоть минуту покоя!», Максим кричал, что он не позволит на него кричать и что у него е с т ь право приходить домой, когда он хочет, я кричала: «Нет у тебя никакого права!».

И мы еще немного поспорили, есть у человека право приходить домой или нет, и напоследок я крикнула: «Иди ты со своим правом... на работу!»... Такой я и пришла к новой жизни: красная, растрепанная, бусы набок, на каблуках, без голоса, с пятнами на щеках.

Ужасно глупо получилось: я скрываю от Максима, что у нас дома школа, чтобы он не нервничал по пустякам, не сердился, что я ущемляю его права, чтобы не кричал, чтобы мы не ссорились.

Жалко Максима. Когда он шел переобуть ботинки, он же не знал, что тонкий, застенчивый, ироничный сценарист, каким он меня считает, стал толстым, нахальным, без чувства юмора бизнесменом и будет, как лев, защищать свой бизнес.

И вот уже н а с т о я щ и й звонок.
Пришли.
Первым пришел Васечка. Мама Васечки (ее звали Ольга, но это неважно, она эпизодический персонаж в моей жизни, в отличие от Васечки). По правилам моей школы они должны были сначала прийти на собеседование, но я так обрадовалась, что они придут, и боялась, что передумают, что решила — обойдемся без собеседования.

Васечка похож на задумчивого ангела, мама бойкая и хорошенькая, как немецкая кукла.

— Здрасьте, вот мы... А можно я заплачу половину сейчас, половину потом?..

— Да, конечно, можно.

Я решила, что использую эту группу как возможность научиться, буду запоминать все сложности и вопросы и потом обдумывать.

И вот первый вопрос. Как получать оплату у родителей? Давать ли им квитанции? Где взять квитанции? И что с этими квитанциями делать дальше?

— А можно я заплачу половину сейчас — потом? Ну, что здесь непонятного? Можно заплатить ту половину, что я должна заплатить сейчас, — потом?

— Конечно, можно.

Вопрос второй. Как вообще получить оплату у родителей?

— Васечку заберет папа. Он такая сволочь, может опоздать на час-другой... Ну что вы так удивляетесь, ну опоздает, мы же з а п л а т и л и. — И умчалась, сунув мне в руки пакет со сменной обувью.

Какое новое интересное чувство: когда к тебе домой впираются какие-то люди и имеют право, они же заплатили... Но ведь это и есть бизнес.

В дверях мама Васечки столкнулась с другими мамами — все пришли разом.

И я как-то приободрилась: это уже было похоже на школу, когда все толпятся, кричат, снимают рейтузы, путают сменку, гладят кота и пуделя.

И мамы такие молодые, и говорят «я сейчас за молочкой, а потом в музыкалку» и «а можно я побегу, у меня малыш дома, я кормящая мамочка».

Я вдруг как будто вернулась в юность: у меня дома снова были р а з н ы е люди, а ведь последние годы (лет сто или двести) я не выходила за пределы привычного круга, в котором никто не скажет «я кормящая мамочка», или «молочка», или «а можно я...».

...Дети такие: Васечка — тихий ангел. Милаша и Арина — девчонки-печенки, толкаются, шепчутся, щиплют под столом мальчиков. Вадик — мне не все дети нравятся.

А вот и Антон Маркович, аспирант. Пришел изучать мою методику. Пришел, сел за стол, достал тетрадку и ручку. Теперь я уж точно настоящая школа.

...Три часа с детьми («Я всего одну конфету взял, и обе отдал коту!», и «Это он сказал "б... ь", я даже слова такого не знаю!», и «Повторюшка, дядя Хрюшка!», и «Можно мне в туалет... я только что был и опять хочу») — это мило и вдохновляет.

С Вадиком проблемы. Вадику д о л ж н о быть интересней с нами, с английскими кубиками. А ему интересней с телефоном. Назло мне сидит, уткнувшись в телефон. Я не хочу отбирать личные вещи.

Я нервничаю: родители заплатили деньги, а он уже вон сколько оплаченных минут смотрит в телефон... Ах, да, я же сама за него приплачиваю.

Можно, конечно, вернуть этого Вадика родителям со словами «нам не надо...», но ведь стоит только начать, и Вадика отовсюду будут возвращать... Нет, этот дурной путь начну не я! ...Не я?.. А мне что с ним делать?

А ведь за него я еще приплачиваю.

...В конце дня, в 17:00, были проблемы с Васечкой. Всех забрали в 17:00, а Васечку не забрали.

17:10. Васечку все еще не забирают.

17:25. Васечку Надя кормит голубцами вместе с Антоном Марковичем.

20:30. Перед самым приходом Максима Васечку забрал Васечкин папа со словами: «Эта сволочь знала, что я не могу уйти с работы». Какие они милые, родители Васечки, называют друг друга «эта сволочь». (Позже выяснилось, что «сволочи» находились в процессе развода, будь мы в Америке, я бы отсудила у них Васечку в пользу Аллы, ей сейчас хорошо было почувствовать себя нужной.)

ИТОГ ПЕРВОЙ ГРУППЫ:

• Сломанный антикварный стул (начало XX века, стиль модерн) — один.

Это Вадик: встал на перекладину двумя ногами, придурок такой!

• Заласканных пуделей и зацелованных котов — по одному.

Это Вадик: любит животных, хороший, добрый мальчик, скотина этакая!
- Детей, наученных читать по-английски — трое (Васечка, Милаша, Арина на выпускном вечере прочитали The Fire Bird, Little Red Cap и The Fox and the Stork соответственно).
- Детей, не наученных читать по-английски — Вадик.
- Глав в диссертации о методике обучения детей английскому языку — одна.

Кстати, о моей методике.

Человек всегда знает, что он может и умеет. Человек кокетничает, говорит «ах, что за методика, не знаю, ее нет, нужно придумать методику», но он з н а е т, что эта методика у него в кармане, нужно только достать. Меня мой дед-переводчик выучил читать по-английски сказки, чтобы не мешала ему работать, читать п р о   с е б я, беззвучно, — вот все, что я могу рассказать про методику.

Все, что касалось организации и всяких ИП ОКВЭД ХРЮ, было очень-очень кустарно, методом проб и ошибок и изобретения велосипеда. Но что касается методики, как бы это объяснить... Когда ты что-то знаешь, тебе не нужно думать, точно ли ты это знаешь и как это будет... ты просто знаешь, что тебе не надо об этом беспокоиться... вот если бы я заявила, что открываю курсы по приготовлению голубцов, я бы готовилась к занятиям, училась у Нади, писала

конспекты... а тут я не знала точно к а к, но знала, что
я з н а ю. Так всегда бывает: если бы Надя собралась
открыть курсы по голубцам, ей не надо было бы го-
товиться, придумывать методику, а если бы Максим
открыл курсы по кинобизнесу... в общем, понятно.

• Подожженных антикварных буфетов — один.

Если зажечь свечку, забытую на буфете, то
она немного подожжет буфет. Но это — не Вадик,
свечку зажгла Арина. Сказала, что пошла в туалет,
а сама — раз и зажгла свечку.

Естественно, я сказала Максиму, что это я.

• Заработанных денег — 9 тыс. руб.

9 тыс. руб. — это не миллион.

• Невыкуренных сигарет — 3000 (ТРИ ТЫСЯЧИ).
Если 20 сигарет умножить на 30 дней и на четыре
месяца, что я не курю, то будет 2400 сигарет, но я
считаю сразу за пять месяцев. Почему? ...Ну, так я
считаю.

• Антонов Марковичей Штейнов, обученных вести занятия — 1.

• Омолаживающих процедур — одна, большая.

Когда я «пустила в квартиру чужих людей», я
почувствовала себя моложе. М н о г о моложе. Как
будто это я 50 лет назад, ко мне пришли поиграть
девочки со двора, и я ничего о них не знаю.

• Сайтов — один (а зачем мне больше?).

Конечно, я не сама сделала сайт, я не т а к о й
отличник, чтобы самой... Я ленивый отличник, но
я с а м а выбрала Landing Page, а не сайт-визит-

ку, а ведь прежде и слов таких не знала... Все, что было между «ой, боюсь» и «ой, боюсь-боюсь» потихоньку приближается к «я знаю, чего хочу» и вдруг — раз, и ты основатель, предприниматель и синьор Помидор, и на равных с другими олигархами произносишь «капитализация бизнеса», «выйти на IPO» и «нет ли у вас кубиков с английскими буквами?».

• Мам, не желающих покинуть помещение, — четыре.

Мамы не хотели уходить домой: потому что мы с Надей говорили им хорошее про их детей. Оценивали Арину, Милашу, Васечку и Вадика не по сожженному антикварному буфету, а по тому, что у них хорошо. Угощали печеными яблоками. Мамы т а к не хотели от нас с Надей уходить... Неужели людей-то никто не ласкает? Людей нужно ласкать.

Это и с коммерческой точки зрения правильно.

P. S.

Отзывы родителей (знакомых Надиного мужа) на первую группу на сайте школы «Шалтай-Болтай» (сайт сделан племянником Надиного мужа):

«... у Арины, по ее словам, было ощущение, что она попала в какой-то сказочный мир, она теперь читает по-английски даже за едой. Спасибо!»

«Спасибо!!! Васечка сказал, что теперь он больше любит английские сказки, чем игрушки. Вы гениальные!!!»

«Милаша на свой день рождения попросила купить английские книжки!!! Ура!!!»

У знакомых Надиного мужа есть очень интересная особенность: у них, в свою очередь, много знакомых.

Поэтому — вот, листок из записной книжки:

ГРУППА НА МАРТ

1. Ирочка, мама Марина (от мамы Кати).

2. Настя, мама Инна (от мамы Олега, можно без собеседования).

3. Сергей Игоревич, сын Рома, дочь Настя, без собеседования.

4. Ася и Даник (от Маши).

5. Светлана Петровна и Майя, 5 лет, но очень просит — собеседование обязательно.

6. Ольга и Лена, не поняла, кто из них мама, — собеседование, четверг 15:00.

7. Елена Викторовна и Максим, спокойный, добрый, 10 лет — куда его девать? Собеседование, четверг 16:00.

8. Еще три человека (мальчики). Без собеседования по рекомендации.

Всего 11 чел.

Взять одного лишнего из жадности?

ГЛАВА ДВАДЦАТЬ ЧЕТВЕРТАЯ
Прощальная

С одной стороны, это важно, — что стало дальше с бизнесом. Я не стала бы писать эти записки, если бы через четыре месяца (честное слово, четыре!) не получила предложение о создании сети школ в Питере и в Москве (я же говорила, Москва — это золотое дно!). Вот какой бизнес: Москва + франшиза по всей стране.

Шучу. Я не уверена, что хочу настоящий б и з - н е с, сеть школ, чтобы вместо детской щекастой физиономии видеть физиономию главного бухгалтера...

С другой стороны, это неважно, — что стало дальше с бизнесом. Важно рассказать, как начинается перемена в жизни: страхи, сомнения, как жертвуешь волком, или козой, или капустой... В хорошем (не в моем, в любом хорошем) сценарии герой после внутренней борьбы изменяет действительность и себя к лучшему. Ну, ведь и я, и у меня! Вот действительность — наученные дети, вот изменившаяся к лучшему я — я больше не кричу на Максима, и я не курю... А сюжет, что сюжет, он важен постольку, поскольку поддерживает идею.

Я все никак не могу перестать думать про кино. Хорошо, что я сейчас не пишу кино: не надо заканчивать линии... Но все же, если интересно:

Зинаида-олигарх: ей тяжело: взяла кредит, чтобы бизнес выжил, продала Канны, продала Ниццу. Весела, не унывает.

Надя: не знаю, как сказать — депресняк лучше или депресняк хуже. Наверное, депресняк — хуже, а Надя — лучше. Но она и не была плохо. Просыпается, наверное, ночью, с разными мыслями, так и я просыпаюсь. Все просыпаются.

Максим: сериал купил «Первый канал», покажут после Нового года.

Ну, и вот еще что.

В этой книге все правда, только одна незначительная неправда: я рассказала Максиму про школу почти сразу, никакого водевиля типа «приезжает муж из командировки, а в шкафу ученики и учителя» не было. Я придумала это из серьезнейших соображений: чтобы вы убедились, что я могу сама принимать решения, вести бизнес в условиях непонимания и неодобрения, не ныть «ах, у меня нет поддержки родственников» — нет, ну и черт с ней.

Ну, и потому, что если мужья не знают, что у них дома ведется бизнес, это дает столько поводов для смешных и поучительных ситуаций, что я просто не смогла удержаться, чтобы немного не соврать. Теперь я предприниматель, но люблю, когда все выглядит легко и смешно, как в сериале.

Ваша *Анна Коробова*,
ОКВЭД, ИП, ООО и ККМ привет.

ОГЛАВЛЕНИЕ

Литературно-художественное издание

НЕЖНОСТИ И МЕТАФИЗИКА. ПРОЗА ЕЛЕНЫ КОЛИНОЙ

Елена Колина

ТРЕБУЮСЬ Я!

Роман

Редакционно-издательская группа «Жанровая литература»

Зав. группой *М. С. Сергеева*
Ответственный за выпуск *Т. Н. Захарова*
Технический редактор *Н. И. Духанина*
Компьютерная верстка *Г. В. Клочковой*

ООО «Издательство АСТ»
129085, г. Москва, Звездный бульвар, д. 21, строение 3, комната 5
Наш электронный адрес: **www.ast.ru**
E-mail: zhanry@ast.ru

«Баспа Аста» деген ООО
129085, г. Мәскеу, жұлдызды гүлзар, д. 21, 3 құрылым, 5 бөлме
Біздің электрондық мекенжайымыз: www.ast.ru
E-mail: zhanry@ast.ru

Қазақстан Республикасында дистрибьютор
және өнім бойынша арыз-талаптарды қабылдаушының
өкілі «РДЦ-Алматы» ЖШС, Алматы қ., Домбровский көш., 3«а», литер Б, офис 1.
Тел.: 8(727) 2 51 59 89,90,91,92
Факс: 8 (727) 251 58 12, вн. 107; E-mail: RDC-Almaty@eksmo.kz
Өнімнің жарамдылық мерзімі шектелмеген.

Өндірген мемлекет: Ресей
Сертификация қарастырылмаған

Подписано в печать 01.08.2016. Формат 84x108 $^1/_{32}$.
Гарнитура «LiteraturnayaC». Печать офсетная. Усл. печ. л. 13,4.
Тираж 4000 экз. Заказ 2425/16.

Отпечатано в соответствии с предоставленными материалами
в ООО «ИПК Парето-Принт», 170546, Тверская область,
Промышленная зона Боровлево-1, комплекс № 3А,
www.pareto-print.ru

ISBN 978-5-17-099538-7